小説の読み方

平野啓一郎

PHP
文芸文庫

○本表紙デザイン＋ロゴ＝川上成夫

文庫版によせて

前著『本の読み方　スロー・リーディングの実践』が好評を博し、編集者は次に『小説の読み方』を書いてほしいと、私に提案した。二〇〇六年頃だったと思う。

しかしそれは、「本の読み方」よりも難しいテーマだと感じられた。

概念としては「本」の方が「小説」よりも大きく包括的であり、本を対象にして読書論を書くことができるのなら、より限定的な小説というジャンルについて書くことは、難しくないのではないか、というのは、一つの考え方である。

しかし、元々、『本の読み方』には、サブタイトルにある通り、当時の速読ブームに対する批判という主目的があり、それに忠実でさえあれば、根本的に読書がどうあるべきか、書くべき内容は自ずと定まってくるところがあった。読者については、あまり本を読むことに慣れていない、言わば「未読者」を中心に考えていた。

――が、「小説の読み方」となると、どこをどう踏まえ、誰に向けた本にすべきかという最初の段階から悩ましかった。
まず難解な文学理論書の類が思い浮かび、次に私自身の勝手な読書が頭を過った。しかし、前者を紹介するような本を私が書いても仕方がなく、また自分の小説の読み方を一般化できるのかどうかは甚だ疑問だった。

当時、私は、実験的な短篇ばかり書いていた第Ⅱ期を終え、いよいよ第Ⅲ期の長篇期に差し掛かったところだった。私の小説の読み方は、小説とは何か、という問いにいつもあまりに直結していたので、これから小説に親しみたい、あるいは、今よりもっと小説を楽しみたいと、本書を手に取るような読者には、適当ではないのではないか、と感じていた。

小説の読み方は自由である。自由なところがいい。三十代前半の私は、殊に、小説とはこう読むべきだと確信することに不安を抱いていた。

色々と考えた結果、インターネットで本の感想を書くことが一般化しつつあった当時、その際の着眼点と、その具体例という構成であれば、まとまった意見を書くことができそうだと思い至り、本書の執筆を応諾した。新書に、「感想が語れる着眼点」というサブタイトルがついていたのはそのためだが、今回、それを冗長と感じ、削除した。

冒頭で、私は、動物行動学者のティンバーゲンによる「四つの質問」を紹介している。この分野の専門家が読めば、こじつけのような話にも見えようが、私は今でも、小説を読み、書評の類を書かねばならない時には、概(おおむ)ねこの四点を気に懸けており、また、芥川(あくたがわ)賞のような文学賞の選考の場でも、これらを踏まえた評価に努めている。

　これは、文学に限らず、映画にも美術にも通用する問いであり、何かを鑑賞したあと、人とそれについて話をしたり、自分で感想を書いたりする際には有効な着眼点となるだろう。

　この「四つの問い」に対して、続く登場人物の固有名詞や、私たちの認知の仕組みと文法構造とを重ね合わせて〈矢印〉について説明した原理的な議論の部分は、些(いささ)か、当時の実作者としての私の問題意識に偏しており、読書論としては特異な印象を与えると思われる。

本書の文庫化については、『本の読み方』と同時に打診されていたが、私が一旦、その返事を保留したのは、このあたりの内容が、時を距てて再読してみて、どう感じられるのかが分からなかったからである。

しかし、『本の読み方』文庫化の際と同様、私は本書を再読してみて、確かに珍しい読書論だが、これはこれで核心を突いた話もしており、手を入れる必要はないと感じた。私の小説に既に馴染みがあり、「分人」という概念にも親しんでいる読者は、まさにその誕生前夜の思考に面白さを発見するかもしれない。

こんなことを考えながら小説を読むのだろうかと、疑問を抱く人もいようが、私自身が、その後、七作の長篇を書き、一作の短篇集を刊行することができたのは、こうした分析の故である。本書で説いた内容と実践編での具体例をじっくり読んでもらえるならば、これから小説を書きたいと思っている人には、役立つ内容ではないかと思う。

それにしても、『小説の読み方』というタイトルは大きすぎ、私は文庫化に際してその変更を検討していたが、どの道、私の名前で出す本であり、あまり気負わず、当時の自分の「小説の読み方」として読んでもらえれば十分ではないかという気がしてきて、そのままとした。

今ならもっと違った本を書くだろうか？　恐らく多少は。しかし、『本の読み方』と併せて本書を読んでもらえれば、それ以上に細かなことを、あれやこれやと読者に語る必要はないだろうとも思われる。

本書が、読者の小説に対する興味の新しい刺激となるのであれば、幸甚(こうじん)である。

＊

文庫化に際しては、ＰＨＰ研究所の中村悠志氏に大変お世話になった。この場を借りて御礼を申し上げげたい。

二〇二二年四月七日

平野啓一郎

小説の読み方　目次

文庫版に寄せて

第1部 小説を読むための準備 基礎編

第2部 実践編
どこを見て、何を語るか

第1部

小説を読むための準備

基礎編

世の中のことを「小さく説く」もの⁉

小説とは、何なのだろうか？

小説という言葉の意味を知らない人はほとんどいないだろうが、その厳密な定義となると、意見は様々だ。

そもそも、どうして、小説のことを「小説」と呼ぶのだろうか？　これは、字面（じづら）からは必ずしも明瞭ではない。

『日本国語大辞典』（小学館）には、次の四つの語義が挙げられている。

① 中国の公認された、正式な文章で書かれた歴史である「正史（せいし）」に対して、民間の取るに足らないような話を虚実を交えて散文体で記した「稗史（はいし）」から出た言葉。

② ①を踏まえ、novel, fable, fiction, romance, story, tale などの訳語として蘭学

時代から浸透し、後に、坪内逍遙によって、novelに限定されて用いられた言葉。

③ 自説を遜って言う言葉。

④ 他人の説や俗説を貶めて言う言葉。

③と④とは、取りあえず、除外しておこう。語源的な①は、現在でも小説というジャンルに期待されているところと、大体重なる印象だ。なにか、世間一般で正しいと信じられていること、常識だと思われていること、エライ人が、立派な言葉で「今という時代はこんな時代です」と抽象的に語ってしまったりすること――そういう諸々に対して、違和感を覚えたり、退屈したり、間違っていると考えたりして、もっと具体的で、生き生きとしていて、滑稽で、かなしくて、胸が躍るようで、切なくて、美しくもあり、また馬鹿馬鹿しくもある、感動的な話が人間にはあるはずだと信じること。そんなしゃちほこばった言葉では、到底掬い取れないような現実が、人間にはあるのだと信じること。それが、小説が求められる理由だろ

う。

文明開化を経て、ヨーロッパの「近代国家」を手本とした日本は、国家とは何ぞや、国民とは何ぞや、というしかつめらしい「正史」に対して、それらの国々が、普通の人が普通の言葉で書きつづる「稗史」としてのnovelを持っていることに注目した。そこで採用されたのが、②で見るように「小説」という言葉であり、私たちは、特に以後の小説を、それ以前の散文体文学と区別して、「近代小説」と呼ぶのである。

だから、小説というものは、いみじくも日本の代表的な「近代小説」家のひとり、森鷗外(もりおうがい)が、「何をどんな風に書いても好い」(『追儺』)と書いている通り、自由に、書きたいことを書くことにこそ、意味があるのである。

ところで、私は最近、こうした語誌的に正しい「小説」という言葉の理解に加えて、文字通りにこれを「小さく説く」ものというふうに考えてみている。

ウェブ時代に突入して、私たちの生活には、世界中のありとあらゆる情報が溢れかえることとなった。その量は膨大で、しかも、時間とともに流れ去ることもなく、データとして刻々と蓄えられ続けている。一方で、私たちの毎日はといえば、相も変わらず二四時間しかなく、寿命は八〇年を超える程度だ。どうやったって、そのすべてを網羅することなどできない。

私たちは、仕方なく、どんな情報とも、どんな言葉とも、忙しなく、広く浅いつきあいをするようになって、ふと我に返ると、自分は果たして、本当に、以前よりも、世間や人間に対する理解が深くなっているのだろうかと、不安を感じるようになっている。

そういう時代に、小説は、まさしく「小さく説く」のである。

この広大無辺で、複雑極まりない世の中を、そして、そこに生きる人間の心の奥底を、誰の手のひらにでも収まるほどのコンパクトなサイズに圧縮して、濃密な時間とともに体験させてくれる。それが、小説だ。

確かに小説は、絵や彫刻のように、一目で見ることのできる物体ではない。ある一定量の記号の連なりである以上、時間をかけて、前から順番に最後まで辿(たど)っていかなければならない。しかし、その間、小説は絶えず、読者に語りかけ、読者に耳を傾け、読者の手を引き、読者と一緒に感じ、一緒に考える。それは、途方に暮れるような情報の海を泳ぎ回るのとは、まったく別の興奮を与えてくれるはずだ。

ネット時代に突入して、小説は、もう歴史的な役目を終えてしまったのだろうか？　とんでもない！　むしろ今こそ、小説は、その意義を更新して、私たちに必要とされている表現形式なのだ。

小説を「四つの質問」から考えてみる

前著『本の読み方』（ＰＨＰ文芸文庫）では、小説をはじめとする本を、もっと深く味わうために、〈スロー・リーディング（ゆっくり読むこと）〉という方法を紹介した。

本書でも、その方針は変わらないが、ここでは、まず取っかかりとして、具体的な四つのアプローチについて考えてみよう。

鳥の鳴き声に見られる文法構造から、人間の言語の起源を探るというユニークな研究をしている岡ノ谷一夫（おかのやかずお）さんは、著書『小鳥の歌からヒトの言葉へ』（岩波書店）の中で、ノーベル医学生理学賞を受賞したニコラス・ティンバーゲンが、動物行動学の基本として挙げた「四つの質問」なるものを紹介している。

その四つとは、動物の行動の、

① メカニズム
② 発達
③ 機能
④ 進化

に関するものだ。一見、ややこしい話のように感じられるかもしれないが、そうでもない。ザッと見てみよう。

①の「メカニズム」では、たとえば、「小鳥が鳴いている」時に、その小鳥の脳神経系や内分泌系などが、どんな仕組みで働いて、その「鳴く」という行動が可能になっているのかを考えることがテーマとなる。

②の「発達」では、卵からかえった鳥が、雛（ひな）から成鳥になる過程で、どうやって歌を歌うことを学習し、どんな形でそれが表れてくるのかが研究されることになる。

この①と②とは、どちらも「歌を歌う」という行動が直接引き起こされる要因（「至近要因」と呼ばれる）を考える学問であり、ジャンルとして近いものだ。

それに対して、③の「機能」では、「歌を歌う」という行動が、その鳥にとってどういう意味を持っているか、④の「進化」は、その鳥が、そんなふうな「歌を歌う」ようになったのは、どういった淘汰の過程を経たからなのかを考えることとなる。

この③と④とで研究するのは、なぜ、その鳥は「歌を歌う」のかという「究極要因」だ。

さて、どうしてこんな話をしているかというと、このティンバーゲンの「四つの質問」は、実は小説を読む時のアプローチとしても有効だからだ。

小説はもちろん、読んで、何かを感じ取ることが一番だ。しかし、笑いまくった、悲しかった、という感想以上のことを誰かと語り合うためには、考える手立てを知っておくことが重要だ。

小説の「メカニズム」について考えるというのは、多分、一番マニアックな読み方だろう。書き手寄りの読み方、と言ってもいいかもしれない。小説とは、舞台設定、登場人物の人数、配置と出入り、プロットの展開、文体、……などが複雑に絡み合って出来上がったものである。

作者は、それらの要素を様々に駆使しながら、読者にあるひとつの世界を提供しようとする。どうしてこの小説は、こんなに面白いんだろう？　どうしてこの小説は、こんなにわけが分かんないのだろう？　ヒトや動物の行動を、体の中の機能を分析することによって、なるほどと理解できるように、小説も、動かしている仕組みについて考え、理解することで、これまでとはまったく違ったふうに見えてくることだろう。

庭を駆け回る犬を見て、愛らしいと感じる。しかし、ロボット犬と違って、どうして生きている犬はあんな精密な動きができるのかを知ると、これまでとはまた違った感動を覚える。「メカニズム」を知る面白さというのは、そういうことだ。

「発達」というのは、その作家の人生の中で、どういうタイミングでその作品が出てきたのかということを考えてみることである。初期のものか、晩年に書かれたものかによって、同じテーマを扱っていても、掘り下げ方や切り口は当然のことながら違ってくる。一作だけを読んでみてもピンとこなかった話が、前作、前々作を読むことによって、「なるほど、あのテーマが、こういう形で発展してきたのか」と、急に理解できることがある。その作家の変化の過程を辿ることによって、作品の奥行きが見通せるようになるのだ。

デビューした頃は、作者本人でさえ曖昧にしか捉えきれていなかった世界が、作品を重ねるほどに明確になり、深みを増してゆく。あるいは、ある時までは熱心に取り組んでいたはずのテーマが、急に出てこなくなって、別のテーマに関心が移ったりする。文体も変わるし、世界観も変わる。それはなぜだろう？　作者の内的な変化のせいか、それとも社会の変化のせいか？

ひとりの作家に絞って、そのプロセスを辿っていくことで、一作だけを読んでみた時には見落としていた多くのことに気づかされるだろう。

「進化」というのは、社会の歴史、文学の歴史の中で、その小説がどんな位置づけにあるかを考えてみることだ。どの小説も社会の影響を受け、その時代の雰囲気に影響され、更には先行作品、同時代の他の作家の作品に影響されながら書かれている。

漱石や鷗外の小説があって、芥川の小説が登場した。「発達」が作家個人の歴史だとすれば、「進化」は、そうした文学史的な視点によるアプローチだ。

「機能」というのは、ある小説が、作者と読者との間で持つ意味である。人間の優しさを伝えたいと作者が意図し、読者がそのように作品を受け止める。あるいは、自分を理解してもらいたいと思って小説を書き、読者がそれを読んで、少しだけ作者のことが分かったような気になる。現代社会の複雑さを映し出す。人間の心の暗黒面を追求する。いずれも、その小説が作者、読者双方に向けて持っている機能である。もちろん、作者の意図と読者の意図とが擦れ違ってしまうことは幾らでもある。

この「機能」を単純化して示したものが、ジャンル分けである。

小説は、ミステリーや恋愛小説、SF、ホラー小説など、様々なジャンルに分けられている。実際のところ、個々の作品は、それほどスッキリと分類されるわけでもなく、弊害が多いのがこのジャンル分けだが、にも拘わらず、これがなくならないのは、読者がその作品の「機能」を知りたがっているからである。欧米の出版界でも、ミステリーなどは、「ジャンル小説」として扱われている。

今では、「泣ける小説」、「抱腹絶倒の小説」など、「機能」の紹介は、より具体的に、宣伝的になりつつある。忙しい現代人は、自分がその時に求めている本と、間違わずに出会うことを欲している。謎解きの面白さを味わいたいと思って、ある本を手に取ったら、むしろ社会批判的な議論が長々と続いて、ガッカリしたというような経験をした人もいるだろう。そのハズレもまた、楽しむ余裕があればいいが、反発のほうが勝ってしまうなら、作者にとっても、読者にとっても不幸なことだ。ジャンル分けは、作品を窮屈なところに押し込めてしまうが、なければないで困るのが、このジャンル分けである。

小説の選択の際の導きとは違い、読中、読後に「機能」について考えることは、基本的には、自分なりの受け止め方次第である。「この小説は、読者に対してどんな意味を持っているのだろう？」「自分は、この小説と出会ったことで、どう変わっただろう？」「作者は、この小説でどんな考えを深めたのだろう？」――そうした、小説のふるまいを考えてみるのが、「機能」の問題だ。

小説を読み、ブログや課題などで感想を書く時に、この「四つの質問」すべてを網羅する必要はもちろんない。しかし、これらを知っておくと、取っかかりはずいぶんとスムーズになるし、他の人の感想を読んだ時に、どういう点に着目して議論しているのかがよく分かるようになるだろう。実際、文学賞の選考会では、はっきりとこの「四つの質問」が意識されるわけではないが、必然的にこうした観点に触れた議論がなされているのである。

これらのアプローチがゴチャゴチャになっているような批評を目にした時には、クールに見極めることもできる。自分の大好きな小説が、たとえば、「進化」の観点一点張りでボロカスにケナされている時には、他の三つのアプローチを使って擁護してみよう。そういう武器にもなりうるのが、この「四つの質問」だ。

小説が持っている時間の〈矢印〉

ところで、小説は、絵や彫刻などとは違って、鑑賞するのに一日なり、一週間なりの時間が必要な芸術だ。

冒頭の一行目から始まって、最後の一行にまで辿り着いた時点で、作者が世に送り出したひとつの作品は、読者に無事、受け取られたということになる。

小説が持っている大きな進行の〈矢印〉は、基本的には、前から後ろへと向いていて、作中で語られる時間が、どんなに、過去と未来とを自在に行き来したとしても、基本的に文章は、上から下に向かって読まれ、ページは右から左へと移動する。当たり前の話だ。

改行によって、見えにくくなっているが、一行ずつの文章が、たとえば本ではなく、巻き尺のようなものに連なって書かれていたとすれば、小説を読むという行為が、そのながーい、ながい一本の線を辿ってゆくことだという事実が、よく分かるだろう。

これは、日常生活を送る私たちの意識に合致した構造となっている。

どんなに色んな出来事が起こっても、昔のことを思い出したり、未来を妄想(もうそう)してみたりしても、私たちは淡々と現在を生き、過去から未来へという〈矢印〉に従って前進している。

この〈矢印〉の方向は、同じ社会に生きている全員が共有しているものだ。

近代になって、急激に規模が大きくなり、複雑化していった私たちの社会では、各人が分担して仕事を受け持つようになる一方、個別の成果をつなぎ合わせて、全体としてうまく機能するために、ひとつの共通した時間を持たなければならなくなった。

一九世紀に鉄道が普及したフランスでは、最初、地方の農村と首都のパリとで、共通の時刻表を作るのに苦労したという面白い話が残っている。国全体で同じ時間を共有しなければ、せっかく作った農作物も、スムーズに鉄道で運んで、パリの問屋を通して、小売業者が売りさばくことはできない。

社会全体が、同じテンポで、同じひとつの〈矢印〉に沿って動き出したのが近代であり、人々は、新聞やテレビといったマスメディアを通じて、世の中で今、起こっていることを知り、それを過去から未来へという共通の時間の流れの中で整理し、自分自身の生活を、そこにどう結びつけようかと知恵を巡らせる。

そういう時代に発展したのが、小説というジャンルだ。

「知りたい」という欲求と〈主語〉＋〈述語〉

小説の中では、色んな時と場所で、色んな登場人物が、色んな騒動を巻き起こす。それを、前から後ろへ、ページの右から左へという〈大きな矢印〉に沿って、一本の線にまとめ上げるものを、「プロット」（話の筋）と考えてみよう。

プロットとは、空間的にも時間的にもバラバラな出来事を整理し、目の前に差し出されたひとつの小説が、一体、何であるのかを理解してゆくための手順だ。

そもそもの話、どうして人は、小説を手に取るのだろうか？　もちろん、それがどんな話か知りたいからだ。この「知りたい」という欲求こそが、ページを捲（めく）らせる原動力であり、先を知りたいとはやる気持ちの根底には、最後まで辿り着いて、全体を知りたいという欲求がある。

この欲求を、少し遠回りして、普段当たり前のように用いている文法というものの仕組みから考えてみよう。

たとえば、目の前に何だか得体の知れない物体がある。何だろうと手に取ってみて、ああ、石ころかと分かる。しかし、石ころといっても、何だかふしぎな輝きをしている。色や形を観察する。調べてみると、黒曜石(こくようせき)だと分かる。黒曜石とは何だろう？　更に調べると、火山岩の一種だと分かる。……

何ということもない経験だが、この認識作業は、「ん？→これは、何か？→これは、石だ。→では、この石は何か？→この石は、黒く、硬く、そして美しい。→この黒く、硬く、美しい石は、黒曜石だ。→黒曜石は、火山岩の一種だ。……」という〈矢印〉の流れに整理される。注目したいのは、この〈主語〉と〈述語〉の関係だ（正確には、〈主部〉、〈述部〉と言うべきだが、本書では、文法構造の骨格を強調するために、修飾語までをも含めて、〈主語〉、〈述語〉という言葉を用いたい）。

今私は、何気なく、目の前の「何だか得体の知れない物体」について書いたが、その発端は、世界中に溢れる数限りないモノの中から、まずそれに焦点を合わせるという作業から始まった。逆に言えば、それ以外のモノを関心の外に追い出してしまうのである。

〈主語〉というのは、こうして具体的に選び取られたモノであり、それを〈主語〉＋〈述語〉という単線の文法構造に引っ張り込むことは、現在から未来へとまっすぐに進んでいる私たちの時間の流れの中に、しかるべき位置を与える、ということなのだ。

私たちの身の回りは、「石ころ」、「道路」、「空」、「太陽」、「隣近所のおばさん」、……など、それぞれに名前を持った、数限りないモノ（ヒト）で満たされている。その中から、特に「石ころ」を選び取ったのは、それが興味をひいたからであり、何なのかを知りたいと感じたからだ。

この時、無数のモノの中のひとつに過ぎなかった「石ころ」は、「この石ころは、」と、助詞の「は」、「が」をくっつけられて、文章の〈主語〉となる。「石ころ」という単語そのものには、向かっていくべき方向性がない。先を示す〈矢印〉を伴っていないから、関心もそれ以上進みようがない。ところが、「この石ころは、……」と言われた途端に、〈矢印〉の方向ははっきり定まって、何なの？と続く部分が知りたくなる。その続きの部分に相当するのが、言うまでもなく〈述語〉だ。

私たちは、世界の圧倒的な情報をすべて処理することなど到底できないし、する必要もない。そのうちの極一部を取り出しては、「これは、……だ」という一本の時間の流れの中で処理できる形に整理し、なるほどそうかと納得して、次の情報に取りかかるということを繰り返している。それを可能としているのが、〈主語〉＋〈述語〉というワンセットが基本となっている文法の仕組みだ。

「これは、」（主語）の部分だけが示されて、「……だ」（述語）の部分が隠されていると、どうにも気になって仕方がない。同じ時間芸術という意味で、小説は音楽と何かと共通点があるが、この気持ち悪さは、旋律やコード進行で不安定な音が「解決」を求める状態にも似ている。「事件の真相は、……」で止められてしまうと、誰でもストレスを感じるだろうし、たとえ明らかにされても、納得できなければ、いつまでも、「あの事件の真相は、……だったんだろうか？」と、そのしっくりこない〈述語〉の部分のために、頭を悩ませ続けることになる。

「は」、「が」といった助詞は、〈主語〉に選ばれた単語に、方向性を与える〈矢印〉の役割を果たすと、ひとまずは理解しておこう。

〈究極の述語〉への長い旅

さて、小説の話に戻ろう。

古典文学の新訳ブームの中で注目された、『カラマーゾフの兄弟』というドストエフスキーの小説を例にとってみよう。今見てきたように、小説もまた、この世の中に掃いて捨てるほど大量に溢れ返っているモノのひとつであり、『カラマーゾフの兄弟』というタイトルもまた、その時点では、方向性を持たない、単なる単語に過ぎない。

しかし、何かの拍子に、この『カラマーゾフの兄弟』に興味を持った私たちは、これを手にとって一ページ目を開き、文章に目を落とす。この最初のささやかな行為の一瞬こそが、実は、『カラマーゾフの兄弟』という単語に「は」という助詞をくっつけて主語を作る作業なのだ。『カラマーゾフの兄弟』は、「『カラマーゾフの兄弟』は、……だ」という〈矢印〉を持った文法構造の中に引っ張り込まれ、絡め取られることになる。

当然、私たちは、隠された「……だ」が知りたくなる。

前項で触れた「プロット」というのは、このタイトルを主語とした究極の一文の述語「……だ」に至るまでの〈大きな矢印〉のことである。

私たちは、この〈矢印〉の案内に従って、泣いたり笑ったり、怒ったり、考え込んだりしながら、最後の一行にまで辿り着くことを目指す。そして、本のページを閉ざした後に、「『カラマーゾフの兄弟』は、……だ」という自分なりの〈述語〉が得られたならば、ゴールである。「『カラマーゾフの兄弟』は、ドストエフスキーの最高傑作だ」、「父殺しの小説だ」、「人間の絶望と希望とを死に物狂いで描いた物語だ」、「圧倒的な言葉の世界だ」と、もちろん、そこにはありとあらゆる述語があてはまるだろう。当然、「四つの質問」それぞれの答えとなる〈述語〉もあるはずである。

この〈究極の述語〉が、数式の答えのように、唯一のすっきりしたものであることを期待している人もいれば、いわく言い難い複雑なものであることにこそ、面白味を感じる人もいるだろう。時間を置いて読み返すと、最初とは全然違った「……だ」に辿り着いたという経験は、誰にでもあるはずだ。

言うまでもなく、ミステリーというのは、犯罪というものを核に据えて、「犯人は、……」、「トリックは、……」という主語に対する述語の明確な回収を目指すジャンルだ。

〈大きな矢印〉は無数の〈小さな矢印〉の積み重ね

ところで、小説の進行方向をダイナミックに描き出す、このプロットという〈大きな矢印〉は、細かに見れば、当然、ひとつひとつの文章が備えている無数の〈小さな矢印〉の連続によって形作られている。

『カラマーゾフの兄弟』の場合、強欲で淫蕩なフョードル・カラマーゾフという男が殺され、長男のドミートリー（ミーチャ）に容疑がかかり、逮捕される。彼はその父の愛人を愛していた。裁判になるが、三男のアリョーシャは、スメルジャコフという腹違いの兄弟であり、使用人である男が、事件に関与していることを察知する。他方で、そのスメルジャコフに、無意識の父殺しの欲望を指摘された次男イワンは、次第に精神の均衡（きんこう）を失ってゆく。……と、雑な要約ではあるが、読者を〈究極の述語〉にまで導く〈大きな矢印〉はそのように設定されている。

一方で、作中の「アリョーシャは、ほかの者たちと逆の道を選択しただけで、すぐにでも偉業を成しとげたいという熱い思いに変わりはなかった。」（亀山郁夫訳）という一文や、「ミーチャはすぐに窓に駆けより、ふたたび部屋のなかを眺めだした。」（同）といった一文などを取り上げてみると分かるように、それぞれに「アリョーシャは……」、「ミーチャは……」といった〈主語〉を持っていて、その都度、「知りたい」という欲求の解決を、〈小さな述語〉によって図っている。

これらが積み重なると、〈究極の述語〉へと至るというのは、どういうことだろうか？

〈主語〉になる登場人物

小説というのは、「小さく説く」ものだというのが、私が最初に提案したその字面の解釈だった。

大著とはいえ、『カラマーゾフの兄弟』にしても、一九世紀後半のロシア社会を細大漏(も)らさず描ききった小説などというわけではなく、扱われているのは、当時、作者の目に見えていた非常に先鋭的な問題群である。

小説家ドストエフスキーは、もちろんそれを、抽象的な、理論的著作としてまとめ上げたわけではない。ロシア的なる激情も、ニヒリズムも、無垢(むく)な魂とロシア正教の信仰も、ドミートリー、イワン、アリョーシャという、当時の社会を生きる、具体的な人間の生にありありと表れたものとして、様々な矛盾や葛藤(かっとう)の渦中(かちゅう)に投げ込む形で描き出している。

そうした意味では、やや図式的とも指摘されるドストエフスキーの登場人物の書き分け方だが、どんな小説家でも、論文ではなく小説を書く以上は、自分が気になっている様々なことを、シングルマザーだとか、厳しい雇用条件下にある労働者、初恋の少女、不倫をしている中年男など、様々な登場人物の具体的な生を通じて描かなければならない。

彼らはみんな固有名詞を持った人間であって、ドミートリーはドミートリー、イワンはイワンであり、登場人物A、Bではない。

しかし、小説執筆の最初期の構想が固まらない段階では、それぞれの登場人物を通じて描かれるべきことがらは、A、Bといった分類にさえ至らない曖昧なものだ。

小説の全体を俯瞰(ふかん)的に見て、たとえば、ドミートリーを主語とする文章を赤、イワンを主語とする文章を青、アリョーシャを主語とする文章を黄と、色分けしてみたとする。すると、小説全体の中で、どのくらいの量の言葉が、どの登場人物に割り当てられていて、どれくらいの頻度で登場し、どんなふうにそれぞれが絡まり合って、プロットが進行していくかが、目で見て分かるようになるだろう。

そこで逆に、こんなことを考えてみてもらいたい。『カラマーゾフの兄弟』という小説のすべての〈主語化〉された固有名詞、代名詞を真っ黒に塗り潰してみる。すると、ただ述語だけが互いの区別を失って渦巻いている世界が出現する。誰が何を言って、何をしているのかが分からない。しかし、丁寧に読むと、個々の述語によって、互いに対立したり、共感したり、場面が変わったり、高揚してきたりする様が何となく分かってくる。

恐らく小説家の一番奥底にあるのは、こうした、境目もなく入り乱れている混沌である。その混沌に目を凝らし、何と何が対立しているのかを見極め、そのそれぞれに焦点を当て、それが何かを考えていく。そうして、その得体の知れない何かを〈主語化〉して、「……は、……だ」の形に落とし込もうとする時に、与えられる名前が、登場人物の固有名詞である。逆にあえて固有名詞を与えて〈主語化〉させるまでもない登場人物は、「ウェイター」だとか、「コンビニの店員」だとかいった社会的な属性に呼び名をとどめて、プロットの背景から必要以上に飛び出してこないようにしなければならない。名前を与えてしまうと、読者が「知りたい」と感じてしまうからだ。

話の展開が早い小説、遅い小説

さて、そうしてそれぞれの固有名詞を与えられた登場人物は、主語として、作品全体を通じ、様々な述語を率いてゆくわけだが、同時にその述語によって中身を埋められてゆかなければ、いつまでたっても空っぽの器のままだ。

いちいち意識はしなくても、「イワンは、……」と主語を提示される度に、読者は、「何なの?」と述語の部分を気にする。日本語だと、当たり前のようだが、苦手な外国語を読んでいる時には、主語に対して、述語がどうなっているのかを注意しながら読むだろう。

荒っぽい分類の仕方だが、この登場人物の主語に続く述語は、大別すると、二つに分けられる。ひとつは、登場人物の人物像を形作ってゆくもの。もうひとつは、登場人物の行動を意味するものだ。

小説の登場人物たちが、どんな人間なのかは、最初は当然分からない。社会的な属性や家族内での立場、年齢、性別、性格。良い人なのか、嫌なヤツなのか。かわいいのか、憎たらしいのか。先ほど例に挙げた、アリョーシャについての一文を思い出してもらいたい。

「アリョーシャは、ほかの者たちと逆の道を選択しただけで、すぐにでも偉業を成しとげたいという熱い思いに変わりはなかった。」

ここに見られる述語は、修道院に入ったアリョーシャという登場人物がどんな人間かを説明したものである。一方、ドミートリーについての一文を参照されたい。

「ミーチャはすぐに窓に駆けより、ふたたび部屋のなかを眺めだした。」

これは、主語となっている登場人物の行動を表しており、具体的には、後に容疑をかけられる、父親が殺された晩に、その家に忍び込んでいる場面だ。ミーチャ(ドミートリー)が、どんな人間かを説明する述語ではない。

ここで、プロットという〈大きな矢印〉と、この一文ごとの〈主語〉+〈述語〉との間に見られる〈小さな矢印〉との関係を見てみよう。

アリョーシャについての一文は、プロットを前進させるものではなく、その述語は、助詞を挟んで、主語に向かって〈↑〉向きに作用する（主語充塡(じゅうてん)型述語）。

他方、ドミートリーの一文は、プロットの〈大きな矢印〉と合致しており、述語の記述は〈↓〉向きに機能し、プロットはこれによって一歩前進する（プロット前進型述語）。

一般に、「話の展開が遅い」とされる小説には、ピックアップされる主語が多く、更に、文章に主語充塡型述語が多い。逆に「展開が速い」とされる小説には、「誰某(だれそれ)と会った、どこどこに行った、……」と行動を意味するプロット前進型述語が多い。

「浦島太郎は、孤独を好んだ」という一文は、浦島太郎という人物を説明するが、プロットは前進させない。他方、「浦島太郎は海辺を歩いていた」という一文は、具体的な行動によってプロットを前進させるが、浦島太郎がどんな人物かは教えてくれない。

もちろん、この二つの区分は、いわばモデルである。実際は、小説のテーマにも大いに左右される問題で、明確にどちらがどうと言えない場合も多い。主語充填型述語が同時にプロットを前進させることもあれば、プロット前進型述語こそが、主語となっている人物の性格をこれ以上なく的確に表しているものもある。

ちなみに、人物が主語となっていない場合でも、この述語の二区分は応用できる。

プロットの前進に寄与する状況説明的な記述か、それとも、主語を充填することにより、外側から間接的に、そうした環境に置かれている登場人物に影響を及ぼそうとするのか。

美しい風景描写は、プロットの前進を忘れて、そこに留(とど)まり続けたいと読者に感じさせるが、退屈であれば、むしろ場面展開を優先させて欲しいと思われてしまうだろう。

この問題については、後ほど、伊坂幸太郎(いさかこうたろう)氏の『ゴールデンスランバー』を読む際にもう一度考えてみよう。

述語に取り込まれる主語

プロットが前進してゆくにつれて、当然、主語充顚型述語の傾向が変わってくることがある。小説の冒頭では陰気な人物だったのが、段々と明るさを帯びてゆく。幼い雰囲気だったのが、頼もしくなってくる。そうした変化や成長をもたらすのは、何らかの出来事や対人関係といった、主語の外部からの刺激だ。

アリョーシャという、作者によって主語化され、読者に主語として認識されている人物は、今度はドミートリーという、別の主語化された人物を通じて、作中で主語化される。「ドミートリーは、……だ。」という述語部分に、アリョーシャが目的語として取り入れられることによって、対人関係そのものが、双方の主語を充顚することになる。再び『カラマーゾフの兄弟』からの引用だ。

「彼（ミーチャ）は興奮してアリョーシャのほうに近づき、ふいにキスした。」

主語化されたミーチャ（ドミートリー）の行動は、プロットを少し前進させているのと同時に、弟との関係性の変化そのものが主語へと再帰する。読者は、そういうことをする人物だと思うだろうし、またそういうことをしたために、彼の中に生じた変化を想像するだろう。そして、ここではアリョーシャという主語もまた、述語を経由して充顚されている。この場面は、「アリョーシャは、キスされた。」と彼を主語にしても書き直すことができるからだ。

〈主語〉＋〈述語〉という文法形式は、私たちを取り囲む複雑多岐な情報を、一本の時間の流れの中で整理するための方法だったが、対人関係もまた例外ではない。それは、結果的に、対人関係を通じて変化を被（こうむ）った自分自身を、時間の流れの中で、過去から未来へと順序立てて並べてゆくための手立てだ。記憶が曖昧な時、私たちは、「待てよ、……」と考えて、「あの時、自分は友達と会って、その後、駅に子供を迎えに行って、……」と頭の中を整理する。これは〈主語〉＋〈述語〉の形式を借りて、出来事を時間軸の上にひとつずつ乗せていっているのだ。

この問題については、後ほど『若さなき若さ』、『日本文学盛衰史――本当はもっと怖い「半日」』、『辻――「半日の花」』などで見ることができるだろう。

期待と裏切り

リーダブルで（読みやすくて）かつ、人物造形に深みがある小説というのは、プロット前進型述語の文章と主語充塡型述語の文章との配置バランスが良く、全体としては、両者が兼ね備えられた文章が基調をなしているというような作品だ。

小説の主眼がどこにあるのか、内面の追求に重きが置かれているのか、それともプロットの面白さが重視されているのか、それによっても、この述語の二傾向の比率は変わってくる。

一般的に、前者に偏りすぎると、プロット展開のスピード感は増すが、登場人物の内面の複雑な細部は描きにくい。後者に偏りすぎると、人物造形は厚みを増すかもしれないが、その分、観念的になるきらいがあり、またプロットの停滞感も強くなる。もちろん、その停滞の仕方に美しさがあったり、面白味があったりして、それを楽しむこと自体が目的になったりもする。

いずれの場合にも言えることは、登場した主語に対して、どんな述語が続くのだろうという期待感が持続することが重要であり、しかも、その予測は、適度に裏切られなければならないということだ。

先が読めるというのは、つまらない小説の典型として語られるが、登場人物の思うことや考えること、更には言うことなすことがいちいち世間並みで、予想通りだと、ああ、やっぱりとがっかりしてしまう。この小さな失望が続くと、最後に辿り着くべき〈究極の述語〉も、どうせこんなことだろうと醒めた気持ちになってくる。

かといって、〈小さな矢印〉の先が、あまりにも突飛なものばかりだと、それはそれで「そんなバカな」と読者をシラケさせてしまう。登場人物も、生きた人間という感じがしなくなってきて、感情移入できなくなるだろう。

読者の予想をうまく裏切りながら、しかし、突飛過ぎるものにはしない。そのさじ加減にこそ、作者の語り口のうまさが試されることになる。

事前の組み立てと即興性

インタヴューなどでよくされる質問のひとつに、小説を書く時には、プロットをしっかり組み立ててから書き始めるのですか、それとも、書きながら考えるのですか、というのがある。

創作ノートを作って、明確な着地点を定め、そこに向けての〈大きな矢印〉を描きつつ、それに沿って〈小さな矢印〉を調整してゆくというスタイルがある。

これに対して、〈大きな矢印〉が最終的にどこに向かうのか分からないまま、〈小さな矢印〉を積み重ねてゆくというスタイルの作家もいる。

恐らく多くの作家が、その折衷（せっちゅう）的な方法を採用しているだろう。

プロットを事前に決めてしまうと、登場人物の行動の〈小さな矢印〉が、どうしても上からチョイチョイと調整したように、〈大きな矢印〉と合致しすぎてしまって、面白味が減じてしまう。また、どの人物をどのタイミングで、どういうテンポで登場させるかを考える上で、出し入れが平板になる恐れがある。

他方で、完全に即興的に、その都度〈小さな矢印〉の方向を定めていると、細かなゴチャゴチャした線によってプロットが紡がれてゆくことになり、終局に向かって、伸びやかで、ダイナミックな〈大きな矢印〉が描かれにくくなる。また、非現実的な世界や寓話的な環境など、特異な舞台設定が必要な場合には、その説明のタイミングが非常に難しく、事前の準備は不可避である。

先ほど、期待と裏切りについて書いたが、裏切りの面白さは、ある展開の可能性が読者にもフェアに与えられていたはずだということが前提だ。唐突に、これまでまったく書かれてなかったような設定が登場するのであれば、その唐突さ自体に意味がなければならない。そうでなければ、思いつきか、あるいは恣意的な設定の小出しとみなされて、読者の感興を殺いでしまうこととなる。

様々な登場人物の〈小さな矢印〉が、あっちを向いたりこっちを向いたりしているように見えながら、次第にその方向が定まってきて、強力にプロットを前進させる。そういう小説が理想だとするならば、事前に大まかに描き出したプロットを念頭に、登場人物たちが、多少は暴れるのを許容して、更にその暴れっぷりに勢いがあるのなら、思いきってそちらに軌道修正することも辞さない。そうした書き方が、現実的だろう。

小説が、どこまで読者との相互協力的なものとなってゆくかは分からないが、雑誌連載などの場合、ソーシャル・メディアで読者の感想を読みながら、プロットを変更するということもあるだろう。

好きな小説家が連載を始めたならば、毎回熱心に感想をソーシャル・メディアに書き、ついでにプロットの提案までしておくと、気がつけば、自分の思っていたとおりに話が進んでいたというようなことも起こりうる話だ。

愛し方に役立てる

本書では、前作『本の読み方』同様、あるいはそれ以上に、小説の分析的な読み方について、多くのページが割かれている。

それについて、本とはもっと、感情を揺さぶられながら読むもので、考えるよりも、感じることのほうが優先されるべきではといった疑問を抱く人もいると思う。

基本的には、私も同意見だ。自分が小説を読む時には、やっぱり感動しながら読みたいし、自分の小説を読んでもらう時には、なおのことだ。

ただ、こういうふうに考えている。

ティンバーゲンの四つの質問の箇所でも、たとえとして用いたが、小説を、庭の芝生の上を駆け回る一匹の犬のようなものだと想像してもらいたい。

私たちは、そのいきいきと躍動する四肢（しし）を美しいと感じ、艶々（つやつや）した毛並みに見とれ、親しげに吠えかかってくることに愛着を感じるが、それは誰に教えられた感情でもないし、誰にも教えようがない感情だろう。

しかし、どういう体のつくりのおかげで、犬はあんなふうに敏捷（びんしょう）に走ることができるのだろうか？　どういう動物が進化して、こんな姿になったのだろう？　もらってきたばかりの頃は、あんなに心許（こころもと）ない歩き方だったのに、どうしてこんなにたくましくなったのだろう？　時折見せるあの何かを催促しているような仕草は、本当のところ、何を意味しているのだろう?――そうした諸々について考え、誰かに話を聞いてみたり、調べてみたりすることは可能であり、それが分かれば、ただ眺め、触れ合って、犬をただかわいいと思っていた時とはまた違った、より深い理解を手に入れた上での新しいつきあいが始まることだろう。

小説も同じだ。どうすれば、小説を読んで感動できるようになるのか? 小説の愛し方とは?

残念ながら、それを説明するのは難しい。どんな犬が好きなのか、そもそも犬が好きかどうかという話と似て、それは究極的には自発的なものであり、自分の中でも、ある小説を愛することができるタイミングがある。子供の頃は、ちっとも面白いと思わなかった小説が、急に自分にとって大切に感じられるようになることもあれば、その逆もあるだろう。

それでも、小説というものが、どんなふうにして動いていて、どういう発展を遂げてきて、ひとりの作家の作品がどんなふうに成長してゆくのか。またそれが、私たちにどんな影響を持つのか。そうしたことについては、私たちも語る術(すべ)があり、知ることでなるほどと、その愛し方が変わるところもある。

前著の実践編では、漱石、鷗外といった、オーセンティックな小説家の作品を中心に論じたが、今回は更に様々なタイプの作品を詳しく見ていくことにした。具体例を通じて、小説のことが、また少しよく分かるようになったと感じてもらえれば幸いだ。

第2部

どこを見て、何を語るか

実践編

ポール・オースター『幽霊たち』

新潮文庫
『幽霊たち』

読む前に

ポール・オースターは、一九八〇年代のアメリカに登場し、やがて世界中で読者を獲得していった小説家で、本作は所謂ポストモダン文学と分類されている。

アメリカのポストモダン文学というと、トマス・ピンチョンのような、長大で、難解な作風を思い浮かべる人もいるかもしれないが、オースターは、その意味では、かなり取っつきやすい、身構えて本を手に取る必要のない小説家で、本作の訳者である柴田元幸さんの行き届いた紹介も手伝って、日本でも、つとに人気が高い。

『幽霊たち』は、八五年から八六年にかけて書かれた、「ニューヨーク三部作」と称される作品のひとつで（他は『シティ・オブ・グラス』、『鍵のかかった部屋』）、作者にとっては出世作となった。

ブルーという私立探偵がホワイトという依頼人からブラックという男を見張っていてくれと依頼を受け、通りを挟んだ向かい側のアパートから、言われたとおりにずっとブラックを見張っているという設定だ。ただ、ブラックがいつまで経っても何もしないので、ブルーはだんだん不安を感じ始め、その家に忍び込むことまでする。

取り上げるのは、そのあとの場面だ。

作品

何日かのあいだ、ブルーは窓の外を見ようとすらしない。自分を自分自身の思考の中にすっかり閉じ込めてしまったいま、もはやブラックがあそこにいるという実感さえないのだ。ドラマはいまやブルー一人のものである。かりにブラックが何らかの意味においてその原因であるとしても、彼はすでに己(おの)れの役割を終えている。決められた科白(せりふ)を喋(しゃべ)り終えて、舞台から退場してしまったのだ。この時点では、ブルーはもはやブラックの存在を容認することができない。あの夜、彼はブラックの部屋に侵入し、一人でそこに立った。それはいわば、ブラックの孤独の聖域に入り込む行為であった。そうした経験を経たいま、あのときの暗闇(くらやみ)を振り返るたびに、彼はそこに自らの孤独を当てはめずにはいられない。だとすれば、ブラックの中に入っていくことは、自分自身の中に入っていくことに等しかったのだ。そしてひとたび自分自身の中に入った彼は、もはや他の場所にいる自分を想定することさえできない。だが実は、ここ こそがブラックのいるところなのだ。ブルーがそれを知らないだけなのだ。

　そこである日の午後、あたかも偶然そうなったかのようにブルーは久しぶりに窓のそばに行き、たまたまその前で立ちどまり、それから、いわば昔のよしみでカーテンをかすかに開き、外を見る。彼の目にまっ先に飛び込んでくるのは、ブラックの姿である——ただしブラックは部屋の中ではなく、アパートの玄関前に坐（すわ）り込んで、ブルーの部屋の窓を見上げている。ということは、奴（やつ）はもうやめてしまったのだろうか？　もうおしまい、ということなのか？

ブルーは部屋の奥に放り出してあった双眼鏡を手に、窓ぎわへ戻ってくる。そしてレンズの焦点をブラックに合わせ、数分にわたってその顔を観察する。まず目、次に唇（くちびる）、そして鼻、と部分部分を一つずつ吟味して、いわばいったん顔をばらばらに分解し、それをまた組み立て直すのである。彼はブラックの抱え込んだ悲しみの深さに心を打たれる。彼を見上げるその目には、いかなる希望の色もない。その姿に、われ知らず、同情心が自分の中に湧（わ）きあがってくるのをブルーは感じる。通りの向こうの独りぼっちの男に、強い憐（あわ）れみの念を彼は覚える。だがそんな気持ちは、ブルーにしてみれば厄介なだけだ。彼が望んでいるのは、銃に弾を込め、ブラックに狙いを定めて、銃弾でその頭を撃ち抜くための勇気である。何が自分に当たったのか、それすら奴にはわかるまい。地面に倒れ込むよりも先にあの世行きだろう。だが、心の中でこの寸劇を演じ終えるやいなや、ブルーはそれに対し嫌悪感を覚えはじめる。違う、そんなのじゃない、俺が望んでいるのは。でもそんなのじゃないとすれば、じゃあ何なんだ？　なおも湧いてくる優しい感情を必死に抑えつけながら、彼は心の中で言う。俺は一人でいたいだけだ、俺が欲しいのは安らぎと静けさだけなんだ、と。そうしているうちに、彼は徐々に気がつく。自分がこの数分間身動きひとつせず、何とかしてブラックを助ける方法はないものかと懸命に思案していたことを。

ポール・オースター『幽霊たち』（新潮文庫、柴田元幸訳）

どうしてこういう名前が付いているのだろう？

読み始めるとすぐに気づくことだが、この小説では登場人物の名前がすべて色になっている。

一般的に、登場人物に名前を付ける時の態度は、二つだろう。名前にあえて意味を持たせるのか。それとも、できるだけ無色な、どこにでもあるような名前にするのか。

基礎編でも触れたが、登場人物の名前が記号となっている例も、実際はしばしばある。

カフカの『城』の主人公はKであり、夏目漱石（なつめそうせき）の『こころ』で自殺してしまうのもKだ。なぜKなのかという議論は昔からあり、カフカのKかもしれないし、ゲルマン語に特徴的なアルファベットだからかもしれない。「kokoro」のKかもしれないし、誰かのイニシャルなのかもしれない。

私たちがアルファベットの登場人物を目にした時にも、直感的には、やはりイニシャルとして受け止めるのではないだろうか。省略されてはいるが、実際には、ちゃんとした固有名詞があるはずだ、とつい考えたくなる。架空の人物なのに、そう思ってしまいがちだというのは、小説というものを考える上で重要な問題を孕（はら）んでいるだろう。

ロベルト・ムージルというオーストリアの小説家の『黒つぐみ』という作品では、そのイニシャル性も拒絶して、登場人物の名前は、「A_1」、「A_2」という記号となっている。

日本の小説の場合は、漢字が使用されると、特別な意味を持たせないつもりであっても、自ずと意味を帯びてしまう可能性がある。「タケシ」、「ミカ」といったカタカナ表記は、それを避けるひとつの手段ともなるが、逆に目立つという難点もある。むしろ、その違和感のために、あえてカタカナ表記が選ばれていることもあるだろう。

『カラマーゾフの兄弟』の話の中で、各登場人物についての記述をすべて色分けしてみることを提案したが、この小説こそは、そうした遊びが効果的だろう。

ここでは作品の一部を取り上げているだけだが、全体を読み進めていくと、それぞれの人物の名前のイメージに何となく意味があることが分かってくる。

ブルー、ブラックはどういう人間なのか

カラフルなイメージがうまく利用され、ここで見られるブラック、ブルーの他、ゴールド、ホワイトと、実際の色が作品の中にちりばめられているようで、それらが絶妙な効果を上げている。思いつきそうな発想のはずだが、やはり新鮮に感じられる。

また、人種のルツボであるニューヨークを舞台にした小説で、登場人物が色分けされているというのもミソだ。いずれも、肌の色はもちろん、髪の毛の色、目の色と身体に関係する色で、グリーンやパープルといった人物は登場しない。

ちなみに、ここにある名前は、アメリカでは特に珍しい名前ではない。一番耳慣れない「BLUE」も、Surnames in the United States（https://namecensus.com/）では、一四六六位にランクしている。また、日本人にはあまりピンとこないところだが、同サイトによると、この名前は、ヒスパニック系でない白人、黒人が大半を占

めるらしく、その他、たとえば、「GOLD」と聞くと、ルーツはユダヤ系だろうかと考えてみたりとか、単なる言葉遊び以上の広がりを持った設定だ。別に三角だとか、丸だとかの形を名前にしても良かったのではと考えてみたりもするが、こうして見ていくと、あえて色である必然性が感じられる。現実感と寓話性との間で、絶妙なバランスが取られている印象だ。

　ネットがある現代では、作品の背景に簡単にアクセスできるという点も、本の読み方が変わった点のひとつだろう。取り分け、外国文学はアクセスしやすくなったはずだ。

> あの夜、彼はブラックの部屋に侵入し、一人でそこに立った。それはいわば、ブラックの孤独の聖域に入り込む行為であった。そうした経験を経たいま、あのときの暗闇を振り返るたびに、彼はそこに自らの孤独を当てはめずにはいられない。

「孤独」「暗闇」といった言葉が直接登場し、ブラックという名前がイメージに由来していることが確認できる。

ブラックという名前に意味があることが分かれば、ブルー、ホワイトという名前にも意味がありそうだという推測がつく。すべての登場人物が色の名前を持っていて、しかも、ブラックだけが意味を強調されているなどということは不自然だからだ。

ブルースという音楽があるくらいなのだから、主人公のブルーは、憂鬱(ゆううつ)を抱えた、「ブルーな気分」の人物なのだろうかと考えてみる。実際、この場面からも、その雰囲気は伝わってくるだろう。

基礎編で、小説家が、自分の中の混沌(こんとん)を整理して、その得体の知れない何かを〈主語化〉してゆくという話をしたが、アイデンティティの問題が主題となっているこの作品で、それが色として浮かび上がってくる創造の瞬間を想像してみると、ふしぎな感動が込み上げてくる。

矢印は二方向に向かっている

主語として呼び出された人物に続く述語を、主語充填型とプロット前進型とに分けて考えてみる発想を紹介した。

ブルーは、色の名前だと誰もがすぐに気がつく分、十分に主語が満たされ、いきいきと活動しなければ、抽象的な、何だかさっぱり分からない話になってしまう。

四七～四八ページでこの二つの述語のあり方を、助詞を挟んで、先に向かっていく矢印〈↓〉と、戻ってくる矢印〈↑〉の二つの記号を用いて説明してみた。

例文の冒頭には、次の文章が書かれている。

　何日かのあいだ、ブルーは窓の外を見ようとすらしない。

この平明な文章の意味が分からないという人はいないだろう。

これを、今説明した二つの矢印を用いて書いてみるとこうなる。

1　ブルー↓　窓の外を見ようとすらしない
2　ブルー↑　窓の外を見ようとすらしない

1では、読者の中で、そろそろイメージが固まってきている、ブルーという一個の主体が前提となっていて、その彼が外を見ようとしないという、「行動」が説明されている。矢印は、プロットの流れに逆らうことなく沿っている。

2は、述語を主語へと投げ返す読み方だ。これによって、今まで摑(つか)んでいたブルーという登場人物のイメージに、また新たな情報が加わって、その「内面」や「人物像」が再構成される。

「窓の外を見ようとすらしない」という行動から、ブルーの今の心境を読み取ることが可能だ。単に「見ない」のではない。「見ることさえしない」、つまり、ブラックに対する関心を完全に失っているような状態だ。

1の読み方だけではなく、2の読み方にこだわってみることが重要だ。

ブルーは、ずっとブラックのことを見張ってきたけれども、とうとうそれに耐え切れなくなってブラックの部屋にこっそりと忍び込んだ。しかし、何も見つけることができずに戻ってきた。その結果についての内省が、この後続く以上、ここではプロットの前進の矢印よりも、むしろ、ブルーに向かってくる矢印を意識すべきだろう。

プロットと並行する、先へと進む小さな矢印だけを追っていくと、「○○さんが何をして、何をした」で終わってしまい、そんなことをする○○さんとはどんな人間で、今どんな状態なのかをつい見落としてしまう。そうして気がつけば、読者は、随分と更新が滞ったままの主人公のイメージで、小説を読み進めてしまっていることになるだろう。

常にこの二つの矢印の方向を意識しながら読めば、登場人物の行動が増えれば増えるほど、同時に矢印は主語へと戻って、その人物像を鮮明にし、また深みを加えてゆく。

この小説の場合も、脂っこい心理描写が延々と続くわけではないが、些細な行動が次々と主語へと再帰して、読み進んでいくほどにブルーの内面が明らかになってゆくように書かれている。

なぜ、「ブルー」と名付けられているのか、読者は段々、理解してゆくだろう。

自分で作り上げた他者像に惑わされる

この小説で、ブルーはブラックの存在そのものに耐え切れなくなったのではなく、ブラックを見ていて、自分が作り上げたイメージに苦しめられることになる。

彼が望んでいるのは、銃に弾を込め、ブラックに狙いを定めて、銃弾でその頭を撃ち抜くための勇気である。何が自分に当たったのか、それすら奴にはわかるまい。地面に倒れ込むよりも先にあの世行きだろう。だが、心の中でこの寸劇を演じ終えるやいなや、ブルーはそれに対し嫌悪感を覚えはじめる。

小説を通じて、ブルーはどういう人間かということが語られていくが、実は、ブルーの中にはいくつもの人間が存在していることが見えてくる。ブラック的な部分もあれば、ホワイト的な部分もある。ブラックを銃弾で撃ち抜きたいと思うのは、自分の中のブラック的部分を撃ち抜きたいと思っているのであり、そう考えている自分に対して嫌悪感を覚える。ブルーな状態からブラックな状態への転落を、無意識に恐れているかのようだ。

他者とは一体何者なのか。どこまでが自分自身の心がでっち上げた存在なのか。そうした複雑に入り組んだ心の様子が描かれている部分である。

近代小説では、登場人物について作者が語る際には、それが登場人物の「真の姿」であり、読者もそういう人間なのだと思って読む傾向が強かった。『カラマーゾフの兄弟』のドミートリーは、あんな人間だとされているが、単にドストエフスキーという相当に変わり者の作者の目にそう見えていただけで、本当は違った人間だったんじゃないか、というような疑念は頭を掠（かす）めなかった。しかし、現代小説においては、読者自身の意識として、そのギャップが前提とされつつある。

　プロット前進型の述語が、いちいち、主語に跳ね返って、その人物像を更新しようとするのは、そのためだ。登場人物のアイデンティティの揺らぎそのものが、重要な主題となっている。

　むろん、だからといって、ひたすらひとりの登場人物にフォーカスし、主語充塡型の述語を連ねて書いてゆこうとすれば、読者はその停滞感に窒息しそうになるだろう。

『幽霊たち』では、ブラックとブルーという人物を向かい合わせに登場させて、対照的に、各々(おのおの)のアイデンティティの問題を浮かび上がらせようと工夫している。読者にとっては、「ブラックとブルーはどういう関係になっていくのだろう」、「ブルーはブラックを殺してしまうのだろうか」という興味を持ちながら、主語の述語への取り込みを通じて物語を読み進めていくことができる。「自分とは何か」という内省型の話であるにも拘わらず、リーダビリティは確保されている。そして、ブルーの内心が飽くまでブラックとの関係を通じて描かれてゆくことにも注意しよう。

別の人間との関係の中で、ブルーの述語がどう変化するのかを見ると、相手によって主語の充顚のされ方が違ってくることが分かる。それが、〈影響〉というものだ。

作者の意図を考えながら読んでみる

『幽霊たち』の作者ポール・オースターには、若い頃にメキシコの石油会社で働いたり、パリで仕事を転々としたりと、一種の「自分探し」的な時期があったことが知られている。

どうしてこんな小説が書かれたのだろうと考えてみることは、作品を通じて作者の声に耳を傾けてみることになり、またその声に対して自分自身の意見を語りかけてみるきっかけにもなる。

- なぜ、作者はブルーとブラックを対立させたのだろうか。
- なぜ、作者はブルーをブラックの部屋に忍び込ませたのだろうか。

●なぜ、作者はブルーにブラックを撃ち殺させようとしているのだろうか。

読者は、プロットの〈大きな矢印〉に沿って読み進めていくわけだが、なぜそう導かれるのだろうと考えてみることには意味がある。それは、「こっちに来なさい」、「はい」というよりも、もう一歩踏み込んだ、積極的な読書態度だ。

「ニューヨーク三部作」の中でも、この『幽霊たち』に漂う都市生活者の孤独感は独特だ。タイトルからして、かすみのような人間の様態を端的に表現しているが、例文の中には次のような表現がある。

「それはいわば、ブラックの孤独の聖域に入り込む行為であった。」「彼はそこに自らの孤独を当てはめずにはいられない。」

孤独というのは、ただ単にひとりでいるということだろうか。それとも、自分がいて他人がいるのに、その間の関係をうまく築けないことをこそ、「孤独」と言うのだろうか。

現代の都会生活では、マンションで独り暮らしをしていたとしても、自分ひとりだけが隔離されているわけではなく、同じ棟に四〇〇戸も入居者がいたりして、壁一枚隔てた両隣の部屋には、当然にそれぞれの住人が住んでいる。

しかし、顔は見たことがあったとしても、どんな人かは全く知らないことがほとんどで、関係性は非常に希薄である。そして、都市では、孤立しているからというより、うまく築けない関係の量が、地方よりも圧倒的に多い分、人間はより「孤独」を感じているのかもしれない。「聖域」という言葉は、そうした事情を的確に捉え、またそうした孤独による無関係の共感を「自らの孤独を当てはめずにはいられない」と表現している。

お互いに相手のことをよく知らないからこそ、自分で勝手なイメージを作り上げて、それが自分を苦しめることもあれば、慰めることもある。隣の部屋の人は、同じマンションに住んでいるのに、私よりずっと幸せそうだ、と嫉妬心を持つこともあれば、道路一本を隔てたマンションの住人を勝手に孤独だと思い込んで、共感を寄せることもある。〈主語化〉された隣人を、一方的に自分の述語へと取り込んでしまうわけだ。

そうした現代に、作者もまた生きているというのが、物故作家ではない、同時代作家を読む楽しみのひとつだ。

現代人の他者との関係の難しさや孤独感を、ブラック、ブルー、ホワイト、ゴールドといった色彩の演出によって巧みに描き出しているのが、この『幽霊たち』である。

文体もまた、絢爛豪華(けんらんごうか)な堅牢なものではなく、素朴で、どことなく頼りない雰囲気であるところが、非常に効果を上げている。

理不尽を理解する

主人公のブルーは、ブラックを見張り続けて、撃ち殺したいほどの不安に駆られる。そこまで思いつめているのならば、探偵を辞めて、別の場所に引っ越してしまえばいいと普通は考えるはずだ。ブラックを撃ち殺すなんて物騒なことを考えずとも、いくらでも他の選択肢はある。そもそも、ブラックのイメージはブルーが勝手に作り上げたにすぎない。

しかし人間は、言葉によって一度イメージを作り上げ、自分自身をその中に関係づけてしまうと、容易に脱出できなくなってしまうことがある。分かりやすい例は恋愛だ。どうしても好きな人ができて、しかも、脈がなさそうだという時、どんなに他にも女性はいる、男性はいると当人に言ってみたところで、そういう合理的な考え方には、すんなり救われないのが、人間のかなしいところだ。

いじめ自殺やいじめ殺人のニュースなどに接すると、恐らく多くの人が、同じように考えるだろう。

いじめられて苦しかったのは分かる。しかし、どうして、自殺や殺人という方法を選んでしまったのだろう？　他にも選択肢はたくさんあったはずだ。学校に行かない、転校する。いろいろな方法があるじゃないかと。

ブラックに対するブルーの態度を通じて見えてくるのは、いじめのような実体さえなく、でっち上げられたような関係性でさえ、人間はその網から逃（のが）れられなくなってしまうという理不尽だ。そうなると、相手との関係性を完全に壊すことでしか、そこから逃れられなくなってしまうのではないかと考え始める。その拘束の道具とは言葉なのだ。〈主語〉＋〈述語〉という形式の中に取り込まれた他者との関係性そのものが、主語を充顚してしまうという基礎編の話を思い出そう。

ブルーはさっさと引っ越せばいいじゃないかという当たり前の発想に対して、作者の示したプロットの矢印が、どうしてそちらを向いていないのか、考えてみると、内容の理解はより深まるだろう。

作者に近い言葉か、登場人物に近い言葉か

小説の中では、作者の言葉なのか、登場人物の言葉なのか分からない文章が出てくることがある。登場人物の言葉として表現したいのであれば、カギカッコで括(くく)って書く方法もあるが、カギカッコがなく曖昧(あいまい)な文章もある。この小説では、次の一文がそれに該当する。

ドラマはいまやブルー一人のものである。

この文章は、登場人物であるブルーがそう感じているのか、それとも、作者がそのように設定しているのか、どちらにも取れそうだ。また、先の述語の二分類に従うならば、主語充填型として読めば、状況として、「ドラマ」がそうなっているという説明と読める。一方、プロット前進型として読めば、そうした状態に「ドラマ」が進展しているという説明である。微妙な差だが、違いが分かるだろうか。

小説の語りには、視点を固定するかしないかの二つの選択肢がある。

視点を固定する小説とは、一人称であれ、三人称であれ、基本的には主人公の視点から書いていくものである。たとえば、Aが主人公の小説では、Aから見た世界が描かれ、Aがどう考えたか、Aがどう感じたかが語られる。視点が登場人物に固定されているので、当然、別の登場人物の内面については想像でしかなく、また、作者が主人公に密着しているために、どこまでが主人公の声で、どこからが作者の声であるのかが分からない。

それに対して、視点を固定しない小説とは、それぞれの登場人物の内側に出入り自由で、場面に応じて、A、B、Cそれぞれの視点から見えた世界とその心情が語られる。情報量が増える分、作者の編集能力が強調され、視点が固定されている時よりも、うまく書かなければ、あらゆる登場人物がコントロールされてしまっているように感じられる。

『幽霊たち』は、基本的に主人公ブルーの視点に固定されている。しかし、完全に固定されているわけでもなく、ところどころ、すこしそこから遊離して、作者の視点からの言葉が顔を覗(のぞ)かせる。

だが実は、こここそがブラックのいるところなのだ。ブルーがそれを知らないだけなのだ。

この文章は、作者が客観的に状況を説明しているような印象を与える。先ほどの

「ドラマはいまやブルー一人のものである。」の部分は、作者の言葉かブルーの言葉かがやや曖昧だが、この「ブルーがそれを知らないだけなのだ。」は、よりブルーから遠ざかった、作者の視点からの文章と言えるだろう。

このように、小説の視点は、固定されているか、されていないかという分類とは別に、作者の視点が登場人物とピッタリ合致しているのか、ちょっと離れているのか、かなり離れているのかという、距離感にも注意が必要だ。その幅を意識しながら読むことで、小説の動きが、遠近感を伴ってより明確に見えてくる。

外観を見つめる目

登場人物の外観の描写もまた、視点の問題と関わってくる。

かつては、バルザックの小説などで、長々と作者による顔の描写が続くようなことがあったが、ブルーによるブラックの外観の描写は、それがいかに観察者の印象によって形作られるものであるかを、さらりと示している。

ブルーは部屋の奥に放り出してあった双眼鏡を手に、窓ぎわへ戻ってくる。そしてレンズの焦点をブラックに合わせ、数分にわたってその顔を観察する。まず目、次に唇、そして鼻、と部分部分を一つずつ吟味して、いわばいったん顔をばらばらに分解し、それをまた組み立て直すのである。

組み立て直すのは、あくまで観察者である。

ブラックなどという名前の登場人物は、ともすると、現実感を損ないがちだが、その外観は観察者次第で変わってしまうというのは、個体の存在を当たり前のように前提としている書き方で、リアリティを出そうと細部を詰めるのとはまた別のアプローチで登場人物に実在感を与える。なかなか、クールな処理の仕方だろう。

ブラックは深い悲しみを持っているのか？

彼はブラックの抱え込んだ悲しみの深さに心を打たれる。

繰り返してきた話だが、もう一度、確認しておこう。

主語の「彼」というのは、ブルーのことである。「ブラックが悲しみを抱え込んでいる」と判断したのは、ブルーであり、ブラックが本当に悲しみを抱え込んでいたのかどうかは実は分からない。ブラックの表情や部屋の様子から、「ブラックが悲しみを抱え込んでいる」とブルーが推測しているにすぎない。

次の「彼を見上げるその目には、いかなる希望の色もない」という文章も、ブルーがブラックの目を見て、そう感じただけであって、通りを歩いている最近恋人ができたようなハッピーな人には、退屈しているように見えたのかもしれないし、お腹(なか)が空いているように見えたのかもしれない。

この小説では、こうして、ブラックという固有名詞を満たしてゆく述語は、ブルーという人物の思い込みの言葉である。

人間を〈情報源〉と〈情報〉という形に分けて考えてみよう。〈情報源〉としての個人そのものについては、誰も語ることができない。私たちが語っているのは、飽くまで、その〈情報源〉を認識した観察者による〈情報〉だ。あなたは○○な人で、××な人で、□□な人で、……と、どんなに言葉（〈情報〉）を積み重ねられても、決してあなた自身（〈情報源〉）とはピッタリと合致しない。しかし、私たちが他者と関係を築く時には、結局その〈情報〉を相手にするしかない。私たちは、〈情報源〉であるその人のすべてを余すところなく知ることなどできず、自分が認識することができ、自分の言葉で整理したその人のイメージとだけ、向かい合うことができるのだから。

『幽霊たち』は、そのギャップが非常に手際良く描かれた小説と言えるだろう。

綿矢りさ『蹴りたい背中』

読む前に

前著『本の読み方』では、金原ひとみさんの『蛇にピアス』を取り上げたが、同じく芥川賞を受賞して、大いに話題になったのが、綿矢りささんの『蹴りたい背中』だ。

この小説は二〇〇〇年頃の高校生たちの生活を扱った小説だが、後に見る同時代の『恋空』とは違って、携帯電話もメールもほとんど出てこない。登場人物が電話をする時には、相手の自宅の電話だ。携帯電話やメールが当たり前となっている現代の高校生から見ると、やや古風な印象を受けるかもしれないが、文学は、古び方にも時代の〈証言〉としての価値があるのだと思う。

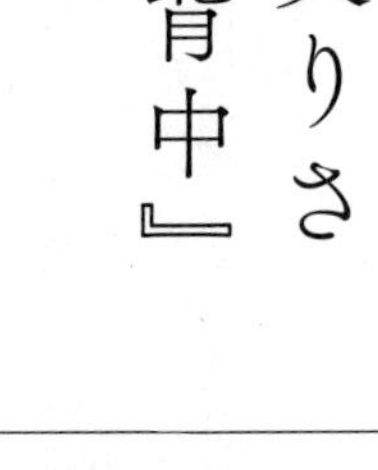

河出文庫
『蹴りたい背中』

他方で、『インストール』という作品を書いているくらいなのだから、作者がメディア環境の変化に鈍感だと批判するのは不適当だろう。この小説の持っている、瑞々しくも、どこか「はんなり」とした雰囲気の中では、このノスタルジックな設定が生きているのではないだろうか。

主な登場人物は、三人。主人公の女の子「ハツ」と、中学時代からの親友「絹代」、ハツが気になっている男の子「にな川」である。

主人公の女の子「ハツ」の気持ちが、対人関係の中で揺れ動く様子が描かれている。

彼女は、何事もクラスのみんなに同調して生きるということに抵抗を覚えている。といって、クラスから離れて、完全に閉ざされた世界に引きこもるのもイヤだ。コミュニティに属したい気持ちと、ひとりの世界を守りたい気持ち、その二つの世界の間で揺れ動く気持ちが丁寧に描き出されている。

クラスの仲間に溶け込んでいる子の代表が「絹代」だ。絹代の向こうには、クラスという大きなコミュニティが広がっている。対極にあるのが、オタクの男の子

「にな川」。彼は教室のコミュニティから完全にはずれている存在だ。

ハツは、にな川に惹かれているけれども、完全にオタクの世界の仲間入りをするのもまたためらっている。そういう場面だ。

作品

「今のって、にな川だよね。」

背後から突然声をかけられて驚いて振り向くと、興味津々な顔をした絹代がいた。

「結局、あいつの家には行ったの？」

「うん。」

「えっ、じゃあ告白でもされた？」

さっきあんなにふて腐れた態度をとった私に、またすぐこうやって人なつこく話しかけてくる絹代を、好きだな、と感じる。

「全然。私さ、中学の頃に女のモデルに会ったことがあるんだけどさ、」

「あー、昔言ってたよね。なんかの店で会ったんでしょ？」

「そう。で、にな川はそのモデルのファンだったらしく、どこで会ったか教えてくれって。」

「うん?! どこで会ったか、って、その昔会った場所に行っても、もちろん、もうその人はいないんでしょ？」

「うん。」

「やだ、相当なオタクだね〜。」

「……うん。」

言わない方がよかったかもしれない。絹代はにな川を馬鹿にしてふれ回るような子じゃないから、そこは心配ないんだけど、オリチャンのことは私とにな川の二人だけのことだったのに。

「絹代はどうなの。」

「何が？」

「あのグループとずっとやってくつもりなの？　あの子たち全員、もう変なあだ名つけられてるでしょ。見た目が個性的だと、あだ名もつけやすいみたいだね。」

どうして私から離れたの？　なんていう、飾らない質問を素直に聞く勇気が出ない。嫌味なことを言う方が簡単だから、いつもそっちに逃げてしまう。

「あだ名のことは言わないで。みんな、気にしてるんだから。」

「かばうね。」

「仲間だもん。」

仲間という言葉はわさびみたいに鼻にツンときた。ツンを吹き出すように、鼻を鳴らして笑った。

「私は中学でもうこりごり。仲間とかは。」

「極端すぎるんだよ、ハツは。グループと深く関わらなくても、とりあえず一緒にいればいいじゃない。」

「それすら、できないんだよね。中学での我慢が、たまりにたまって一気に爆発した結果かな。」

「我慢、って言っちゃうんだ、私らの時間を。」

絹代がさびしげに呟いたので、慌ててつけ加えた。

「絹代は笑ったり話盛り上げたりして、しゃべってくれてたから、私は何も我慢なんかしてなかったよ。でも同じグループの他の子、よっちゃんとか安田さんとかはさ、いつも押し黙ってて、眠そうに人の話を聞くばっかりだったでしょ、あれはきつかった。」

話のネタのために毎日を生きているみたいだった。とにかく〝しーん〟が怖くて、ボートに浸水してくる冷たい沈黙の水を、つまらない日常の報告で埋めるのに死に物狂いだった。指のここ怪我した、昨日見たテレビおもしろかった、朝に金魚死んだ。一日あったことを全部話しても足りず、沈黙の水はまたじわじわと染みてくる。

「ハツはいつも一気にしゃべるでしょ、それも聞いてる人間が聞き役に回ることしかできないような、自分の話ばかりを。そしたら聞いてる方は相槌しか打てないでしょ。一方的にしゃべるのをやめて、会話をしたら、沈黙なんてこないよ。もしきてもそれは自然な沈黙だから、全然焦（あせ）らないし。」

絹代は諭（さと）すように語る。人間とのコミュニケーションの仕方を同い年の友達から習うというのは、それこそ耳をふさぎたくなるほど恥ずかしい。

「もういい。」脱いだ上ばきをつかみ、体育館の出口に早足で向かった。

綿矢りさ『蹴りたい背中』（河出文庫）

高校生のリアルな言葉で表現されている

小説には地の文と会話文とがある。地の文が近代文学をはじめとする過去の小説の影響を受けているように、会話文でもやはりそのあとが見受けられることがある。

男性作家が書く若い女性の会話などで、ややぎこちない、今時誰もつかわないような口語表現と出くわすことがあるが、この小説では、さすがにリアリティのある、いきいきとした言葉で高校生たちが会話をしている。

もちろん、この年代の高校生たちがみんなこういった喋り方をするというわけではなく、コミュニティによって、かなりの差があるだろう。

「うん?! どこで会ったか、って、その昔会った場所に行っても、もちろん、もうその人はいないんでしょ?」
「うん。」
「やだ、相当なオタクだね〜。」
「……うん。」

登場人物の名前は、カタカナ表記や平仮名表記などを交えてアダナ化され、会話の口調そのままに、高校というコミュニティの特殊性が強調されている。にな川というのは、意味があるわけではないが、字面といい、響きといい、なんとなくシャキッとしないような雰囲気だ。作者の言語感覚の産物だろう。
にな川は、「オリチャン」というモデルのファンだが、この「オリチャン」に主人公のハツがたまたまスーパーで会ったことがあると知って、俄然興味を覚える。

にな川はそのモデルのファンだったらしく、どこで会ったか教えてくれって。

ハツがにな川について語るこの一文の述語は、プロットを前進させる行動でありながら、にな川という主語を十分すぎるほどに充填する。「相当なオタクだね〜。」というのは、そのことに対する絹代の反応だ。
メディア環境の変化という話を最初に書いたが、マスメディア上の情報の収集によって、情報源としての「オリチャン」の不在を埋め合わせようと必死なにな川の姿は、アイドル・オタクの典型として造形されている。それと対比するように、対面形式を通じて、情報源であるクラスの友人たちと常に双方向的なコミュニケーションによって情報の更新を行っているのが絹代だ。

両者の対比が、主人公が生きている世界の基本的な構造である。

コミュニケーションがうまく取れない

「絹代はどうなの。」

「何が?」

「あのグループとずっとやってくつもりなの? あの子たち全員、もう変なあだ名つけられてるでしょ。見た目が個性的だと、あだ名もつけやすいみたいだね。」

になな川が生きているのは、対面コミュニケーションから極力遮断(しゃだん)された「オタク」の世界だ。「オリチャン」について彼がどんなに情報を収集しようと、基本的にそれは、ブルーがブラックに対して思いのたけを詰め込めるだけ詰め込んでいたのと同じことだ。

他方で、絹代の生きている「あのグループ」というのは、双方向的な対面コミュニケーションが可能なコミュニティだ。主人公のハツは、にな川の世界には行きたくないが、「あのグループ」に対しても違和感を感じている。

「あのグループ」を双方向的コミュニケーションの場として、そこから遠心的なグラデーションを描けば、「そこに浸りきっている級友↓うまく適応できる絹代↓適応しかねているハツ↓双方向的コミュニケーションを拒否し、マスメディアからの配信情報の受信者として自足しているにな川」という図式になるだろう。

どうして私から離れたの？　なんていう、飾らない質問を素直に聞く勇気が出ない。嫌味なことを言う方が簡単だから、いつもそっちに逃げてしまう。

この部分は、絹代に向かって語る内容と、心の中の「本当に言いたかったこと」との齟齬(そご)をハツが自覚する場面だが、コミュニティとその外側との境界線は、こうして個人の内面にまで侵入している。言うまでもなく、ソーシャル・メディアはこのコミュニティの外側の言葉を受け止める場所として、丁度この小説が発表された頃から、急速にその機能を果たしていった。

今ならば、ハツが家に帰ってから、ツイッターなどに「どうして私から離れたの？とは言えなかった（涙）」と書いていてもおかしくない場面だ。

比喩の力がイメージを膨らませる

作家の高橋源一郎（たかはしげんいちろう）さんは、対談の中で、綿矢さんの文章には、直喩（ちょくゆ）が多いと語っていた。「〜のようだ」式の表現は、あまりにブンガク的すぎるというので、一時期、敬遠されていたというのが高橋さんの指摘だが、ここでの使用法は極（ごく）自然な印象を与える。

仲間という言葉はわさびみたいに鼻にツンときた。ツンを吹き出すように、鼻を鳴らして笑った。

「〜のようだ」には確かにブンガク臭があるかもしれないが、「〜みたいな」は、口語で誰もが頻繁につかっている。むしろ、その頻度は増えているかもしれない。

比喩というのは、人間の脳の情報処理システムの錯誤をうまく利用した手法だろう。

未知の情報と出会った時、私たちには、それを処理する下地がない。そこで、自分が既に知っている近似的な情報へと迂回して、いわば錯覚を利用して処理するというのが比喩だ。

得体の知れない、白い丸いものについて語られたとしても、誰もそれをイメージできない。しかしそれが、「卵のようだった」と言われれば、既に知っている卵というものと擬似的に同一視しながら、その丸い物体をイメージし、情報として受け止める場所を自分の中に開くことができる。同一ではないけれども、近いイメージのものを持ってきて、未知のものを把握できるようにするための手段。それが比喩だ。

小説においては、言葉にしにくいことをこそ、読者に理解してもらわなければならない。小説というジャンルで、比喩が重宝がられるのは当然のことだ。

逆に比喩が奇妙なものであるならば、これまで知っていたものを、その奇妙なものと混同して脳が扱ってしまう。この手法を「異化作用」と呼ぶ。

比喩に用いられるイメージのストックは、情報発信者と受信者との間で、共有されていなければならない。

現代の女子高生コミュニティに帰属していない多くの読者にとって、ハツのこの時の心境は未知の情報だ。しかし、ワサビのイメージは、そのコミュニティの外側にいる人にまで共有されている。それが、「分からない」という壁を乗り越えさせる有効な手段となっているのだ。

学校小説独特の疎外感

主人公のハツが「あのグループ」に参加することをためらっているのは、コミュニティが期待している参加者の「あるべき姿」に対する違和感のせいだ。「仲間」というのはこうあるべきだ。それを信じて、従順になることに彼女は反発している。

これに対して絹代は、本気で信じずとも、「とりあえず一緒」という態度でいいじゃないかという考え方だ。

彼女の人物造形が重要なのは、実は、コミュニティというものが瓦解（がかい）せずに済んでいるのは、ハツが考えているように、それが価値観を共有する人たちの強い結束によって維持されているからではなく、絹代のような態度の人間が付かず離れず参加しているからなのだということを明かしている点だ。

ハツが離脱したのは、「あのグループ」の中心ではなく、その曖昧に関わっている人たちの層であり、彼女の問題は、自分がそこに復帰できるかどうかということだ。

この問題は、学校というコミュニティを社会と比較して考えてみると興味深い。

「社会ではこういうふうに振る舞うもの」

「人に好かれる振る舞い方」
「できる人間はこのように振る舞う」

現実の社会でも、今ほどコミュニケーション・スキルがやかましく唱えられている時代はない。社会の一員であるためには、否応なく、社会的なコードに適合的でなければならない。ところが、私たちの悩みは、ハツとは違う。なぜか？

学校小説が、小説の舞台設定として興味深いのは、コミュニティに、コミュニケーションの成功を促(うなが)すに足るだけの〈実利〉がない点にある。これは、後で見る『恋空』にも特徴的なことだ。

私たちがイヤでも社会参加者であり続けなければならないのは、そこが私たちの自己実現の場所であり、経済活動の場所だからだ。そこでは、絹代のような参加の形のほうが、むしろ一般的となる。一応、参加してる、という具合だ。

ところが、学校の放課後や休み時間に出現するコミュニティはそうではない。ハツは、そこでのコミュニケーションに成功したところで、実際には何も得るところがない。経済的な報酬(ほうしゅう)があるわけでもなければ、才能を生かして自己実現できるわけでもない。コミュニティからの承認は得られるかもしれないが、その理由は、コミュニケーション上手であるという、まさにその点にある。彼女が積極的になれないのは、そのせいだ。

しかし、コミュニケーションは、本来、自己目的的に重要な行為のはずだ。『幽霊たち』で指摘した通り、人間は不成立な関係の数だけ、孤独を感じざるを得ない。誰かから微笑(ほほえ)みかけられ、やさしく語りかけられる。理由はともかく、そうした機会は絶対に必要であり、だからこそ、ハツも思いきれない。

ところが、にな川は、もっと思いきって、実利のない「あのグループ」との関係を一切拒否して、マスメディアを通じてもたらされる微笑みとやさしい語りかけとで満足している。言うまでもなく、その相手が「オリチャン」だ。

ハツの悩みは、それでいいのだろうかということであり、しかも、リアルな恋愛感情は、むしろ対面コミュニケーションの価値を実感させうるのではないかと予感しつつ、にな川が、まったくそれに無関心であることだ。

作者は、影響を受けた作家として、太宰治(だざいおさむ)の名をしばしば挙げているが、こうした問題を検討していると、それも十分に納得される話だ。

象徴的な行動

「もういい。」脱いだ上ばきをつかみ、体育館の出口に早足で向かった。

この文章では、「体育館の外に出ていく」というアクションによって、二人の場面から、ひとりの場面に切り変わっていく。場面が展開し、プロットが進んでいくことを示す一文だ。

一方、この文章は、主人公ハツの性格説明の役割も果たしている。ハツは、友達から諭(さと)された時に「あ、そうか。わかった」と素直に納得するタイプではないと分かる。「もういい」と言って外に出ていってしまう姿は、ハツという人物の性格を端的に語っている。

更に、実際の空間の象徴的な変化により、二人が帰属している関係性の領域が再び明らかになる。ハツは要するに、「あのグループ」にはどうしても参加できないという、今の自分の立場、立ち位置へと身振りとともに戻っていくのである。

非常に整理の行き届いた場面転換ではあるまいか。

付帯情報の入れ方

『辻』、『恋空』の章で詳しく書くのでここではさらっと指摘するに留めるが、〈話し言葉〉というのは、〈書き言葉〉とは違って、本来、表情や声のトーン、身振りといった付帯情報が伴うことによって成り立つ言葉だ。そのために、小説で本当に話し言葉を書くだけでは、どうしてもニュアンスが伝わらない。


「我慢、って言っちゃうんだ、私らの時間を。」

絹代がさびしげに呟いたので、慌ててつけ加えた。

この場面では、「我慢、って言っちゃうんだ、私らの時間を。」だけで終わってしまうと、怒って言っているのか、寂しげに言っているのか、笑いながら言っているのか分からない。話し言葉をそのまま文章にすると、リアルな会話のイメージが伝わってくる反面、伝わる情報量は、対面コミュニケーションの時よりもグッと低下してしまう。

そこで、「さびしげに」とか「慌てて」という付帯情報を描写することによって、脱落してしまったニュアンスを補うのである。

もし、次のように付帯情報の一文が入らずに続いていったらどんな印象になるだろうか。

「我慢、って言っちゃうんだ、私らの時間を。」

「絹代は笑ったり話盛り上げたりして、しゃべってくれてたから、私は何も我慢なんかしてなかったよ。でも同じグループの他の子、よっちゃんとか安田さんとかはさ、いつも押し黙ってて、眠そうに人の話を聞くばっかりだったでしょ、あれはきつかった。」

些細なことだが、ニュアンス的にはもっと刺々しい、ケンカに近いやりとりと感じられるだろう。どの程度、付帯情報を補うかはさじ加減の難しいところだ。あまりやりすぎても、読者の想像の領域を狭めてしまう。

たとえばこれが戯曲ならば、あまりト書きが細かいと、俳優は演技の余地を制限されて面白くないだろうが、小説を読む際にも、読者の領域は適切に確保されるべきだ。

ドストエフスキーなどは、その付帯情報の挿入の名人と言ってよく、是非とも確認してもらいたい。『悪霊』や『カラマーゾフの兄弟』のような小説が、冷たい議論小説になってしまわない大きな理由のひとつがそこにある。

作品のこなれの良さ

最後に雑感だが、『蹴りたい背中』は、ふしぎなほど、ぎこちなさのない作品だ。新人作家として、ひとつ世間をアッと言わせてやろうという力みがまるでなく、ずっと文章を書き続けてきた人が、さらりと書いているような印象だ。非常にこなれた文体で、一筆書き（ひとふでが）きのようなうまさがある。スタイルは違うが、そういう意味では、金原ひとみさんも然（しか）りだ。

私は、つい体操を思い出してしまうのだが、一昔前までは、「月面宙返り」ができる人は世界にひとり、二人しかいなかったはずだ。彼らは天才的な才能に恵まれて、死ぬような努力をして「月面宙返り」ができるようになった。ところが、今は高校生でも「月面宙返り」ができる人はゴロゴロいる。

どうしてそうなるのか、分かるようでふしぎだが、文学の世界でもそういう現象が起こりつつあるのではないかというのが私の印象だ。小学生の頃から毎日ブログを書き、膨大な本を読み、創作を行っているような世代は、二十歳にもなる頃には相当な文章の達者になっているだろう。

もちろんその中で、作家になる人とならない人との間には、決定的な違いがあるはずだが、綿矢さん、金原さんの芥川賞ダブル受賞は、振り返ってみると、そういうことの予兆だったのではという気もする。

ミルチャ・エリアーデ『若さなき若さ』

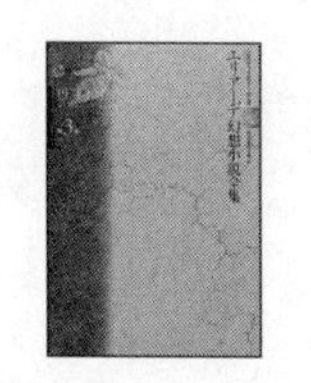

作品社
『エリアーデ幻想小説全集〈3〉』

読む前に

この小説は、ルーマニア出身の宗教学者にして小説家だったミルチャ・エリアーデが、晩年の一九八〇年に書いた小説である。

本書では、基本的に物故作家を取り上げないつもりだったが、個人的に好きだということもさることながら、題材が面白く、二〇〇七年に、『地獄の黙示録』で有名なフランシス・コッポラが映画化して話題になったこともあり（邦題は『コッポラの胡蝶（こちょう）の夢』）、あえて収録することにした。

エリアーデはもちろん、インターネット時代以前の人であるが、アルゼンチンのホルヘ・ルイス・ボルヘスなどと同様に、ユニヴァーサルな博識家で、国民国家の成立と同期的な近代小説家たちとは違い、プレ・インターネット時代の小説家として、再評価可能なのではあるまいか。

『若さなき若さ』は、教会の近くで雷に打たれた老人が、回復とともに若返ってゆくというプロットで、ちょうど、病院に運ばれるシーンから始まる。体中が焼け焦げているのだけれども意識だけはある。そういう状況だ。

読む時に、次の二つの点を考えながら読んでみてほしい。

- いくつのシーンで構成されているだろうか。
- 何人の「自分」がいるだろうか。

作品

ある日のこと——いつと考えることはもう諦めた——教授は、ごく慎重な手つきで瞼に触ってから、こう言っていた。

「目はやられていないようだが、見えなくなったのかどうか、それは分からぬ。そもそも、ほかのことも何一つ分からぬ……」

これはほかのときにも聞いた。〝意識があるかないか、それも分からぬ〟とそのときは言っていた。〝聞こえているのか、聞こえたとして理解しているのか……〟。分からないのは彼の罪ではなかった。教授の声はそれまでに何度も聞いてそれと分かったし、聞こえたことは完全に理解できた。教授はこう呼びかけるのだ、〝私の言うことが分かったら、ほら、指を握ってくれ〟と。しかしその指を彼は感じなかった。握ってやりたくても、どうにもならなかったのである。

この度はこう続けた。〝なんとかあと五日生かしておくことができれば……〟

五日後にはジルベール・ベルナール博士が、パリからアテネへ行く途中で、立ち寄るということが助手の一人の話で分かった。最高のスペシャリストだ……

「……そうよ、気が多いの」とラウラはくり返した。「ほかのいろいろな人たちがなっているものに自分もなりたいのね、文献学者、オリエント学者、考古学者、歴史家、まだいくらもあるのでしょう。つまり、あなたはドミニク・マテイのままじゃなくて、ほかの人生を、他人の人生も生きたいというわけ、そうして自分の天才を徹底的に育てたいと……」

「ぼくの天才をだって？」と、嬉しさを隠すために気弱げな顔をした。「それじゃぼくに天才のあることが前提になるが……」

「ある意味では、もちろんあるわ。いままでにわたしが知り合った人全部を考えても、あなたみたいな人は一人もいないわ。わたしたちとは人生の生き方が、人生の理解が違うのねえ……」

「でもこれまで、二十六歳まで、ぼくはなにもしていない。試験で全部マルを取っただけだ。何一つ発見しなかった。自分で翻訳解説した『浄罪篇・第十一歌』にも独創的解釈は一つもなくて……」

ラウラが寂しげに、なにやら幻滅の視線を向けているような気がした。

「なぜなにか発見しなくてはいけないの？　あなたの天才はあなたの送る人生の中に実現されるはずよ、分析や発見や独創的解釈の中ではなく。あなたの手本はソクラテスかゲーテのはずだわ。でも作品を書かなかったゲーテを想像するのよ！」

「よく分からないな」と興奮して呟いた。

「みなさん分かりましたか？」とスタンチュレスク教授が質問した。

「私にはよく分かりません、それにあまり早く話されるとよけい……」

彼にはよく分かった。教授は非の打ちどころのないフランス語を話していた。パリで学位を取ったのに違いない。偉大なスペシャリストよりもむしろもっと的確で上品な話し方だ。そのベルナール博士のほうは、たぶん、外国出身だろう。しかしそのゆっくりした、ためらいがちな言葉から察しられたが――ヴァイアンが新しい校長について、緊急に重大な決定を迫られるときのことで言っていたように――すぐ本心を見せたがらないのだ。

ミルチャ・エリアーデ『若さなき若さ』（『エリアーデ幻想小説全集〈3〉』

いくつのシーンでできている？

いくつのシーンでできているか分かっただろうか。――答えは三つ。

最初は、病院で寝ているシーンである。医者が主人公を診察している様子が描かれている。

「『……そうよ、気が多いの』とラウラはくり返した。」からは、回想シーンが始まる。ラウラというのは昔の恋人で、回想シーンでは、学生時代にラウラと会話した様子が描かれている。

「『みなさん分かりましたか？』とスタンチュレスク教授が質問した。」からは、再び主人公を診察しているシーンに戻る。実は、この間に五日間の日数が経過している。最初のシーンでは、ベルナール博士が到着しておらず五日後に立ち寄る予定であると書かれているが、三番目のシーンではすでにベルナール博士が到着している。

展開が、少し分かりにくい方は、テレビドラマや映画を想像して欲しい。明らかに、このシーンは映画のカットバックの手法の影響を受けている。

最初に、重傷で病院に運ばれてきたシーンが映し出される。主人公は一命を取り留めたものの、意識が戻っているのかどうか医師には分からない。

（シーン1）ある日、医師が回診に訪れ、主人公と医師とのやりとりが行われる。主人公は、意識はあるのだが、その気持ちは医師には伝わらない。

生死をさまよっている主人公の中に、ふと過去の記憶が浮かび上がってくる。ここで、画面は回想シーンに切り替わる。

（シーン2）学生時代の恋人とのやりとりが映し出される。将来の夢を語り合っている会話が続く。そして、「よく分からないな」と呟いたところで、それに呼応するかのような「みなさん分かりましたか？」という声で現実に引き戻される。

（シーン3）再び病院で寝ているシーンに場面が変わる。この間に五日ほど経過し、ベルナール博士が到着して、主人公を診察している様子が映し出される。

瀕死（ひんし）の状態で意識が混濁しているので、混濁からふっと意識を取り戻すたびに、時間が次々とジャンプしていく。現在から過去、過去から未来へと、行ったり来たりしながら場面が絡（から）み合っている。

作中に「過去のことを思い出した」とか「現実に戻った」というような説明がいちいち書き込まれていないので、場面の移り変わりが分かりにくいかもしれないが、その分、夢うつつの臨場感が醸（かも）し出されている。

コッポラの映画でも、忠実に映像化されたシーンだ。

何人の主人公がいる？

さて、この作品には何人の「自分」がいただろうか。

これはほかのときにも聞いた。〝意識があるかないか、それも分からぬ〟と

そのときは言っていた。

まず、「医者の話を聴いている自分」がいることが分かるだろう。医者の話を理解しているのであるから、確かに意識がある。しかし、医者から見ると、意識があるのかないのか分からないようだ。そこには、「医者から見た自分」もいる。この両者にはかなり距離がある。自分では意識があるのに、医者には意識があるかどうかが見えていない。『幽霊たち』のブルーが見ていたブラックを思い出してもらいたい。「医者から見た自分」は、火傷のせいで、包帯でグルグル巻きになっている。

でもこれまで、二十六歳まで、ぼくはなにもしていない。

回想シーンでは、学生時代の恋人とのやりとりが続き、「学生時代の自分」が出てくる。映画であれば、スクリーンには、二十六歳の時の主人公ドミニク・マテイ

が登場している。そして、自分で考えているのとはちょっと違うように見えているらしい「恋人の目を通した自分」。

ほかのいろいろな人たちがなっているものに自分もなりたいのね、文献学者、オリエント学者、考古学者、歴史家、まだいくらもあるのでしょう。

恋人の言葉を通じて、主人公の「なりたい自分」が語られている。

回想シーンが終わると、五日間が過ぎている。〝なんとかあと五日生かしておくことができれば……〟と担当医には言われていたが、どうにか五日間は生き延びたのだ。そこには「回復しつつあることを感じている五日後の自分」、「その姿を見られている自分」がいると考えられる。

整理してみると、

「意識があり、考えている自分」「その時に、外から見られている自分」

「二十六歳の時の自分」「ラウラが見ている自分」

「三十六歳の時になりたかった想像上の自分」

「回復しつつある五日後の自分」「自分の意識ともかなり近づいてきたと見られている自分」

これらが幾重にも重なりながら物語を構成している。

「一人の主人公」が「今ここにある一つのアイデンティティ」に括られず、時空を隔てて、様々な形で出現するのがこのシーンだ。

『幽霊たち』とも年代的には近く、同じくアイデンティティがテーマとなっているが、若返りという設定から、そこに更に時間の要素が関わってくる。

重要なのは、それが勝手に増殖した自己ではなく、飽くまで他者との関係性の中で、必然的に生じた様々な「自分」だということだ。

プロットの〈大きな矢印〉を確認する

小説の全体像を摑むためには、プロットの流れがどちらの方向に向かっているのかを確認しておくことも必要だ。

前述したように、この場面は三つのシーンで成り立っている。

初めは、なんとか五日間、もってくれればという瀕死の重傷であり、プロットの方向性としては「死」に向かって流れている。

回想シーンでは、未来への希望が語られている。プロットの矢印は、未来の「生」へと向かっていると言っていい。

意識が戻った時には、五日間生き延びることができたのであるから、回復しつつある状態と考えられる。プロットの方向はやはり「生」へと向かっているはずだが、人間がやがては死ぬ運命にあるということを考えるならば、「死」へと向かっているとも考えられる。

ところが、実際には若返りがテーマであるのだから、この予測は裏切られて、〈矢印〉は「生」のほうを向いているのだ。

この作品は、このように、「死」へと向かうベクトルと、「生」へと向かうベクトルとがプロットの前進の過程で、複雑にぶつかり合って効果を上げている。人間はいつか必ず死を迎える。そういう意味では、人間は誰もが最終的には「死」に向かって進んでいるとも言える。エリアーデが、作品中であえて時間軸を解体してみせているのは、一方向的に進んでいく時間は、「死」に到達せざるを得ず、それゆえに人間は実存的な不安から逃れられないという認識を持っているからだ。

時間の流れから解放されることが、その不安から解放されることである。これは、仏教の解脱（げだつ）という発想にも影響された彼の思想だった。

単線の一方向的な時間軸からの解放については、次の文章にも端的に示されている。

――いつと考えることはもう諦めた――

ただし、そうして時間軸が解体されてしまうと、過去から現在まで順序よく並べられて、整理されていた過去の自分や今の自分などが、収拾のつけようもなく溢（あふ）れかえってくる。この場面は、まさにその混沌が出現し始めた緊迫した瞬間を描出したものだ。

自分の情報を調整できないもどかしさ

『幽霊たち』にも見られたテーマだが、人間は自分で勝手に、「私はこういう人間です」と思ってみたところで、他者からの承認が得られないのであれば、決して安心することができない。

相手から見た自分が、自分が考える自分とはまったく違っているというのは、私たちの最大のストレスだ。情報源としての自分を誰よりも知っているはずの自分が、自ら情報化した自分と、他人が情報化した自分との乖離(かいり)が極端な場合である。

そのような時には、相手に対して、「そうじゃない」とか、せめて「そういう面もあるかもしれないが、この点は違う」とか伝えることで、相手の目に映っている自分と自分の考える自分とをできるだけ近づける努力をしなければならない。

これが、一切できない状態とは、どういう状態だろうか? 言うまでもなく、死んだ後である。死ねば、人からどう言われようと、反論のしようがない。とんでもない汚名を着せられる恐れもあれば、実際よりも立派だったと語られることもあるだろう。

この作品では、主人公は、意識はあるのに、言葉を話すことができず、指を握ることもできない。自分からはまったく意思表示や情報発信ができない状態に置かれているのであるから、いわば、死に閉じ込められた状態だ。

このように「他人から見た自分」をすべて受け入れざるを得ない時、人間はアイデンティティの問題で苦しまなければならない。

なにも病床にある人ばかりではない。中学生や高校生の中には、親や先生など、周囲の人から「いい子」と見られてしまって、それを受け入れざるを得ない状況に陥っているケースもあるだろう。違和感があるのに、コミュニケーションの中で、それをうまく解消してゆくことができない。それは、つらい状況だ。

もちろんこれは、私たちが、逆の立場に立った際の誡(いまし)めとしても考えなければならない問題だ。現代のアイデンティティの不安定さは、確かに不安の要因ではあるが、他人に対する「決めつけ」を注意深く回避することは、反論不能なイメージの牢獄から人を解放するための条件でもあるのだ。

仕事とアイデンティティ

回想シーンの恋人との会話の中に「作品を書かなかったゲーテ」という言葉が出てくる。非常におもしろい発想だが、あえてゲーテが選ばれたことには、少し複雑な意味がある。

ゲーテと言えば、政治家でもあり、科学者でもあり、思想家でもあったという、あらゆる分野に秀でていた万能人だった。そしてその能力を、結局のところ、発揮しないままだったとして、ゲーテとは一体何者だったのか、というのがここで投げかけられている問いだ。

社会的なアイデンティティを喪失してしまった人間の不気味さというのは、前作『本の読み方』でカフカの小説を例に考えてみたことだったが、ゲーテがゲーテであったのは、創作を通じて、その才能を社会化できたということだ。それをしなかったとしても、ゲーテはゲーテだが、ただ私たちが知っているゲーテではなかったということになる。

ラウラが、発見などしなくても、あなたはあなたと言うことに対して、主人公が納得できないのはそのためだ。

このシーンでは、過去の記憶とともに、「なりたかった自分」、「なり得たかもしれない自分」に一斉に見舞われることによっても、アイデンティティの動揺を経験する。文献学者になった自分、オリエント学者になった自分、考古学者になった自分、歴史家になった自分。

この眩暈（めまい）は、読者のひとりひとりが共感を持って感じるところだろう。そして、そういう自分ではないひとりの男の人生を、身を以（もっ）て体験できるということこそが、こうして小説を読んでいることの感動だとも言える。

読者を代弁する疑問

「よく分からないな」と興奮して呟いた。

前著『本の読み方』でも一緒に見たことだが、小説の会話の中に出てくる「疑問文」は、登場人物の言葉であるのと同時に、読者の思いを代弁する言葉でもある。

読者は、このシーンを一読しただけでは、「作品を書かなかったゲーテ」の意味がよく分からない。話を読み進めていくと見えてくるが、ここではまだ分かりにくいだろう。

作者は、読者を置いていかないために、現時点では分からなくてもいい、とあえて明示的に示す機能をこの「よく分からないな」に担わせている。同時に、読み流さないようにさり気なく注意も喚起しているのだ。

他にもこの場面には「分からない」という言葉が頻繁に出てきている。

「目はやられていないようだが、見えなくなったのかどうか、それは分からぬ。そもそも、ほかのことも何一つ分からぬ……」

〝意識があるかないか、それも分からぬ〟

分からないのは彼の罪ではなかった。

〝私の言うことが分かったら、ほら、指を握ってくれ〟

「みなさん分かりましたか?」

「私にはよく分かりません」

彼にはよく分かった。

エリアーデの小説の多くは、ある神秘体験の「分からなさ」を、日常生活の中に偽装されて埋め込まれている神話の痕跡を手懸かりに解明してゆくことをテーマとしている。プロットの先にある〈究極の述語〉は隠されている。ここでは、読者の「知りたい」という欲望を、やや露骨なほど言葉を重ねながら刺激しているわけだ。

主語充填型述語から見る主人公の知性

彼にはよく分かった。教授は非の打ちどころのないフランス語を話していた。パリで学位を取ったのに違いない。偉大なスペシャリストよりもむしろもっと的確で上品な話し方だ。そのベルナール博士のほうは、たぶん、外国出身だろう。

何気ない書き方だが、述語の機能に注意してみれば、なかなか手が込んだ一節だ。

まず、「よく分かった」という述語は、何を意味しているだろうか？　分かったということだけだろうか？　そうだとすれば、見落としがあるだろう。もうひとつの主語へと返る意味としては、五日間の生死をさまよう意識の混濁の後、彼の状態がかなりよくなっているということだ。それは、続く記述の内容からも、改めて強調されることになる。

彼は、何を聞き取ったのか？　「教授は非の打ちどころのないフランス語」を話せる、「パリで学位を取ったのに違いない」人だとされている。もちろんこれは、教授という登場人物を説明する言葉だが、同時に、主人公自身が、そうした判断が下せる知的な人間であるということも示している。彼は、ベルナール博士よりも教授のほうが上品な話し方であり、博士は外国出身ではないかと想像するが、その微妙なニュアンスが分かるほど、語学が堪能で、アカデミックな世界の事情を理解している人物だということが示されている。

もちろん、これもまた、主人公の視点で見た教授像に過ぎないが、書き方からして、これがもし勝手な思い込みだったとすれば、随分と間が抜けた主人公だという印象になってしまう。実際、この推測は当たっているのだが、そういう意味では、「たぶん」といった言葉によって、かえって読者に無理なく、そうなのだろうと信じさせるような巧みな書きぶりである。

結果、教授と博士について語りながら、主人公ドミニク・マテイがどんな人物であるのかを、読者に簡潔に理解させるのに成功している。

最後にもう一点、「非の打ちどころのないフランス語を話していた」という表現に注目して欲しい。もしこれを、地の文で、作者が直接書いていたならば、読者はその紋切り型の人物造形を嘘っぽく感じてしまうだろう。たとえば、「彼女は、非の打ちどころのない学者だった」と書かれても同様のシラけた感じを催すが、このように視点が登場人物に定められて、会話などで、「彼女は、非の打ちどころのない学者だよ」と書かれていれば、そうなのかと自然に受け止めることができる。

些細なことだが、このちょっとした手続きで、作者の恣意的な設定という印象が後退し、作品世界の他の登場人物による評価という情報の相対化を図ることができるのだ。

作者自身と重ね合わせてみる

冒頭でも記した通り、この作品はエリアーデが死の六年前に、七十三歳で発表した作品だ。作者自身の老境に至った心境が反映されているともとれる。

エリアーデは、第二次大戦前に、レジオナールというルーマニアの思想運動に関わった疑いで、逮捕された経歴がある。その後、彼は亡命するが、戦後ルーマニアは、この小説でも後に登場するように、秘密警察が跋扈する共産主義の体制下に置かれることとなった。

　エリアーデの小説に常に登場する偽りの日常生活と本来の人間の姿というある意味分裂した発想には、こうした体験が影を落としていると見て間違いない。

思想を制限された環境の中では、外面的に見えている「危険のない人物」としての姿と、内面の思想とは著しく乖離する。雷に打たれて、まったく身動きの取れない状態になり、周囲の人から見られている自分と、内面の自分とのギャップを感じる場面、そしてその時に、もっと違った人生があったはずなのにと夢想する場面に、彼の実人生の反響を探ってみることは可能だろう。

　そして、晩年になって、若返りの物語にそうした思いを託そうとした彼の小説を、やはり老境に差し掛かろうとしているコッポラが、自身の仕事として取り上げたというのは、どことなくほろっとさせられるような事実ではあるまいか。

高橋源一郎『日本文学盛衰史』
——本当はもっと怖い「半日」

講談社文庫
『日本文学盛衰史』

読む前に

高橋源一郎さんは、先鋭的なポストモダン文学の代表的作家として誰もが知るところだが、この小説は、近代文学の黎明期をありとあらゆる趣向を凝らして描き出した近年の代表作に数えられるもので、取り上げた場面は、森鷗外の『半日』という作品を題材としたパロディである。

森鷗外の最初期の三つの短篇は、佐藤春夫によって「初期ロマンティック短篇あるいは独乙三部作」と命名された、一八九〇〜九一年の『舞姫』『うたかたの記』『文づかひ』である。ロマンティシズムの濃厚な香りが立ち籠めるこれらの雅文体の作品を執筆した後、鷗外の執筆活動は、しばらく評論や翻訳が中心となるが、二〇年近くたった一九〇九年に突然、「半日」という口語体の作品を雑誌『スバル』に発表して、世間を驚かせた。テーマは、家庭内の嫁姑問題だった。

この場面は、その有名な文学史上の事件を踏まえて書かれている。

作品

「あなた、どっちの味方?」

妻がいった。妻はパジャマを着ていた。妻はキッチンの近くのテーブルに座り「通販生活」を読んでいた。

「サッチーは絶対変よね。常軌を逸してるわよ。いくらなんでも、他人の花瓶をわざわざロサンゼルスまで鑑定に出したりしないわよね」

「思うんですけどね、他人の花瓶だからこそ、わざわざ鑑定に出そうとするもんじゃないのかしら。そういう人情の機微がわからない人間が騒いでるんですよ」

　母がいった。母はテレビの前のソファに深く、深く、座りこんでいた。そこは、リビングの中ではテーブルにもっとも遠い場所だった。

「それからもっと変なのが、コロンビア大学に留学してたっていう一件ね。『聴講留学生』ってなんなの？　そんな言葉、はじめて聞いたわよ」

「ええ、わかってますとも。自分と同じ程度だと思うから、腹が立つわけで、そう思わなければいいんですよ。自分の無知を棚に上げて、知らないものはないものだと思いこむんですよ。恥ずかしくないですかね」

　鷗外はこめかみを手でおさえた。頭が痛くなりそうだった。いや、もうひどく痛んでいた。いったい、この女たちは誰に向かってしゃべってるんだ？　女たちはお互いに話し合おうとはしなかった。もう何年もの間、一度も話し合ったことはなかった。なのに、ふたりは年中しゃべっていた。

「わたしにはわからん」

　鷗外は苦悶のあまり、漱石に相談したことがあった。

「ひとりの時はしゃべっていないようなんだ。なのに、もうひとりが姿を現すと、それがはじまるわけ」

「きみがいない時は？」

「ふたりだけの時は黙ったままだよ」

「じゃあ、それはきみに向かってしゃべってるのさ。簡単なことじゃないか。愚痴を聞いてほしいんだよ」

「最初のうちはわたしもそう思ったさ。わたしの気をひくために、しゃべってるのだと。ところがだ、わたしがなにをいっても頓珍漢な返事しかしないんだ」

「どっちが？　奥さん？　お母さん？」

「どっちもだよ。あいつらはただ勝手にしゃべってるだけ」

「じゃあ、ひとり言だよ。気にしなけりゃいいじゃないか」

「ちがうの！　ひとりの時にしゃべるからひとり言だろ。あいつらは、ふたり揃って、しかも、その場にわたしも居合わせない限りしゃべろうとしないんだから」

「ふーむ。森さんのところは、家族の間で会話が絶えない理想の家だと聞いてたんだけどなあ」

「確かに。表面上はそうさ。わたしがいる。妻がいる。母がいる。それぞれが順番にしゃべっている。意味は通じている！　脈絡もある！　意思が通じているような気さえする！　どうなってんだ！　いや、ほんとうのことをいうとだね、わたしは知ってるんだ！」

「なにをですか」

「あいつらは、想像上の誰かに向かってしゃべってるんだ。あの連中は白日夢を見てるんだ。簡単なことさ。欲求不満がもたらす幻覚だよ。初歩的なフロイドさ」

「森さん」

「なんだい」

「わかったよ」

「なにが」

「あんたの悩み。気のせいなんだよ。実は、あんたたちはちゃんと会話してるんだよ」

「まさか」

「あんたのいうことをまとめるとだね。複数の人間が同じ場所にいて、あることについて連続して発言しているわけだ。おまけに、みんな意味がある。ちがう？」

「いや」

「しかも、その連続した発言が一つの繋がりになっていて、意思の疎通もある。どうやら、その中には笑いやジョークも混じっている、と。ちがう？」

「ちがわない」

「だったら、そういうのを会話っていうんだよ」

　鷗外は驚きのあまり受話器を床に落とした。ひどい音がした。鷗外は受話器を拾い上げると、漱石に謝罪した。

「すまんね。びっくりしたんだ。そんなことは一度も想像したことがなかったよ」

「ぼくの考えではね、あんたは、なにかものすごいものを期待してるんじゃないかな。会話とか家族とか、そういうのに弱いんじゃないの？」

「かもしれん」

「お節介かもしれんが」

「かまわんよ」

「昔からの友人だからアドヴァイスするんだが、あんたはちょっと繊細すぎると思う。いや、もしかしたらすごく鈍感なのかもな」

「ほのめかしは止めてくれんか」

「あんたずっとスランプだろ。他の作家がどう噂してるか知ってる？『鷗外はもう終わった』『鷗外か、そんなやつもいたな』『鷗外？　誰それ？』『鷗外、公害、問題外』」

「もしかして、喧嘩売ってる？」

「まさか」

「じゃあ、いい」

「『即興詩人』以来、あんたは小説を書いてないだろ。評論と翻訳だけだ。なにを待ってるのかしらんが。あんたが待っているものは来ないよ」

「きみは、わたしがなにを待っているのか知らないのに、そのなにかは来ないっていうのかね」

「そうだよ」


高橋源一郎「本当はもっと怖い『半日』」(『日本文学盛衰史』講談社文庫)

書けない症候群

パッと見ると、結構な分量の文章のようだが、読み始めると、さらりと読めてしまったのではないだろうか。これが高橋さんの作品の特徴だ。

しかし、さらりと読めてしまうからといって、当然のことながら、さらりと書けるわけではない。

小説家を見舞う最大の危機は、言うまでもなく、書けなくなるということだ。作者は、二十代後半で見舞われた失語症の克服のために「ぼくはこのコップが好きだ」という文章を一日中書くような生活を送り、デビュー作『さようなら、ギャングたち』の中でも、その時の経験を思わせる、頭の中が「まっ白」という状態が非常に印象的に描かれているが、その後、九〇年代には、『ゴーストバスターズ』という作品の執筆中に、やはり小説を書くことの深刻な困難を経験したと語っている。

「あんたずっとスランプだろ。他の作家がどう噂してるか知ってる?　『鷗外はもう終わった』『鷗外か、そんなやつもいたな』『鷗外?　誰それ?』『鷗外、公害、問題外』」

典雅な初期三部作の執筆後、森鷗外は再び小説を書くまでに、約二〇年もの時間を要している。その事実がここでのテーマとなっているが、作者がそこに注目した理由は、文学史上の重大事だったからというだけでなく、そうした個人的な体験が切実に重ね見られていたからだろう。

古くはホフマンスタールの短篇『チャンドス卿の手紙』、また最近ではエンリーケ・ビラ＝マタスの『バートルビーと仲間たち』と、作家が「書けなくなってしまう」ことそのものをテーマとした小説があるが、この『日本文学盛衰史』の中の「本当はもっと怖い『半日』」もまた、口語文の誕生というダイナミックな文学史的事件を扱いながら、それらと問題意識を共有する作品と見なすことができるだろう。

「鷗外」とは誰そ？

『幽霊たち』でも、登場人物の命名に注目したが、ここでも当然、まずそのことを考えなければならない。

デビュー作と前後した作者の第二作目『ジョン・レノン対火星人』には、「『ねえ』と『ヘーゲルの大論理学』が言った」というような文章が登場するが、主語化され、登場人物として立ち上がろうとする〈何か〉に与えられる名前は、作者の場合、ある意味では、それが自ずから帯びようとする意味に忠実過ぎ、またある意味ではズレていて、近接する意味体系から間違って拝借してきたようなものとなってしまっている。その結びつき方は、夢が象徴を取り違えてしまう様子と似ている。

「鷗外」という文字を見れば、誰もが、あの「森鷗外」のことだと考えるが、それをただちに、森林太郎（りんたろう）という情報源としての人物と同一視していいかといえば、そうではない。森林太郎とだけ刻まれた墓石の下に遺骨が埋まっている人物と、文学史に、ある記述形式によって言語化され、情報化された森林太郎という人物とは完全に一致するわけではないし、実際には数え切れないほどあったペンネームの中から、半ば恣意的に選択されたその「鷗外」という号によって指し示されている、政治、文学、医学といった各方面で繰り広げられた活動の全体を指し示すのかもしれない。あるいは「鷗外が好き」という言い方のように、小説を中心としたその著作群を意味しているのかもしれない。文学史上の一個の問題を指しているのかもしれないし、極端に言うと、あの「森鷗外」とは何の関係もない、まったく別の何かを指しているのかもしれない。

当然、ここでの「漱石」もそう読まれるべきだ。

電話での会話の主は、森林太郎と夏目金之助（きんのすけ）だと考えてもよければ考えなくてもよく、作品群同士が喋っているとも、全集の二巻目くらいまでと四巻目くらいまでとが語り合っていると考えてもよいのだ。

そういうややこしい面白さが、作者によって大胆に日本に導入され、独自に追求されたポストモダン文学だった。

この作品では、「サッチー」が出ているテレビ番組を見て母と妻と語っている場面が描かれている。文学史上の人物としての「森鷗外」の時代には、当然、我々がメディアを通して知っている「野村沙知代（のむらさちよ）」さんは生まれていないが、ここに出てくる固有名詞のすべてが、そうして四方八方に向かって意味の漏水（ろうすい）を起こしているのだと考えてみる必要がある。そうして時空は解体されて、ページの上には、まったく自由な小説的空間が広がるのだ。

誰に語りかけているのか？

どんな小説でも、ひとりひとりの読者の読みは、仮説的であり、同じ本を読んだ者同士で、必ずしも意見が一致するわけでもなければ、一〇年前の自分と解釈が同じわけでもない。作者の言わんとすることとも、完全には一致しない。

前著『本の読み方』で、私は、そうした「創造的な誤読」と、飽くまで他者としての作者の〈意図〉を知ろうとする態度との二本立てで、常に小説は読まれるべきだと書いた。

本作のようなスタイルの作品では、誤読を恐れない積極的な読み込みが必要だ。何をどう感じ、考えても、それは、何度でも自分で勝手に更新できるのだから。

鷗外はこめかみを手でおさえた。頭が痛くなりそうだった。いや、もうひどく痛んでいた。いったい、この女たちは誰に向かってしゃべってるんだ？

「誰に」しゃべっているのか、という点が重要なポイントになる。

これを、『半日』という鷗外の小説を巡るパロディだと考えるならば、ここでの「誰」は、作者であり、また最終的には読者のことである。二人の女たちは、小説の中で主語化され、登場人物となる〈何か〉のことだと理解できる。

「ひとりの時はしゃべっていないようなんだ。なのに、もうひとりが姿を現すと、それがはじまるわけ」

ここに出てくる「もうひとり」も同様に、作者であり、また読者だ。〈何か〉は、書こうとする存在に向かって、しゃべりかけてくるものである。そしてそれは、最終的には読もうとする存在に向かってしゃべっている。この場面を、執筆前夜の作者の中の混沌と解釈してみてはどうだろうか？　二人が「頓珍漢(とんちんかん)な返事」しかしないと感じられるのは、まだ、雅文体での小説にとらわれている「鷗外」が、彼を飛び越えて、読者へと向けて話したがっている〈何か〉の言葉を受け止め切れていないから、と解釈してみよう。

小説家は、作品の中で登場人物たちに会話をさせるが、彼らは互いに話し合っているように見えながら、当然、本当は想像上の誰か、つまり「読者」に向けて語っているのだ。この作品でも、電話のシーンでは、「鷗外」が「漱石」に語りかけ、「漱石」が「鷗外」に語りかけてはいるが、今これを読んでいる私たちにとっては、要するに私たちに話しかけているのだ。

鷗外の口語小説が生まれてきた経緯

「あんたのいうことをまとめるとだね。複数の人間が同じ場所にいて、あることについて連続して発言しているわけだ。おまけに、みんな意味がある。ちがう？」

「いや」

「しかも、その連続した発言が一つの繋がりになっていて、意思の疎通もある。どうやら、その中には笑いやジョークも混じっている、と。ちがう？」

「ちがわない」

「だったら、そういうのを会話っていうんだよ」


この部分は、一読すると、当たり前のことを言っているようだが、今見てきたような事情を踏まえれば、小説論として解釈できるだろう。「そういうのを会話っていうんだよ」と語られる「会話」は、小説中の会話とも取れるし、小説そのものとも取れる。それでいいんだ、と「漱石」は言おうとしているのだ。

明治期の文語文が、〈話し言葉〉を導入した言文一致体に至るまでの紆余曲折（うよきょくせつ）がこの小説のテーマだが、ここでは「鷗外」を通じて、初期三部作のうっとりするようなテーマを扱った、うっとりするような雅文体が、まったくうっとりするところのない嫁姑のケンカを前にして、どうすればそれを言葉にすることができるのか、途方に暮れている様が描き出されている。

小説家森鷗外は、『平日』に続く短篇『追儺』の冒頭で、「小説というものは、何をどんな風に書いても好い」と書くが、それだけ見ると、随分と適当にも見えるその定義が、いかに苦心して導き出されたものかを、本作は、飄々とした、漫才のようなやりとりの中で見事に描き出している。

「鷗外」や「漱石」が何を指し示すのかを最初に考えてみた意味が、ここで効いてくるのではないだろうか。そして、〈主語化〉された〈何か〉が、互いに影響を及ぼし合いながら、変化してゆく。それこそが小説というものの醍醐味なのだ。

見えないリンクをクリックしながら読む

この小説は、文学史の予備知識がなくても、それはそれで面白いのだが、知っていれば、もちろん、その解釈の重層性を十分に楽しみながら読むことができるだろう。逆に言うと、ここを入口にしてその知識へとジャンプすることもできる。「『半日』は、そもそもどんな小説なんだろう」とか「『半日』はいつ書かれたんだろう」といった疑問がわいてくれれば、それを調べてみる。鷗外について気になったら、鷗外の小説をいくつか読んでみる。それだけで、一回の読書体験が、その後に枝分かれしてゆく無数の読書体験の経路として機能するだろう。

小説というのは、どんなにその世界の中で完結しているように見えても、必ず背後に、膨大な情報や知識の広がりを持っている。それは、過去の文学作品であったり、過去の文学作品が生まれた土壌であったり、もちろん、現代の日本であったり、作者の個人的な経験であったり。

インターネットのリンクのように、紙の上の各言葉には、無限のリンクが貼られている。小説の中に『半日』という言葉が出てきたら、その先には、目に見えないリンクが延びているのだ。それをクリックしてみるかどうかが、一回の読書体験の厚みを大きく左右するだろう。

なぜ、サッチー？

鷗外の『半日』は、家庭内の嫁姑のケンカがテーマであり、流麗な雅文体ではとても書けないことから、口語体の小説として執筆された。文体には、テーマを選択する力があるが、それは同時に排除する力ともなる。文語体ではどうしても汲み取りきれないテーマという意味で、口語体が生まれるまさにその感動的な一瞬に選ばれたのが、よりにもよって嫁姑のケンカだったというのは、文字通り、よりによってのことだったのである。

これは、本書の最初に確認した「小説」という言葉の①に当たる語源的な意味を思い出してもらえれば、よくよく納得される話だ。

時代が更に進んで、現代に至るまで、文学は常に、今ある言葉では十分に語り得ないことがらをいかに語り、いかに救済すべきか、苦心してきた。ここに見られる作者の文体は、その成果のひとつである。

そう考えてみて、読者は、なぜ、「サッチー」がわざわざ取り上げられているのかが分かるだろう。作者はここで、文豪鷗外が、嫁姑問題を皮切りに、性の問題から（『ヰタ・セクスアリス』）政治問題（『食堂』等）、更には自身の思想（『妄想』等）に至るまで、どんなことでも書くことができる文体を手に入れたように、文学史上の大問題からワイドショーのお騒がせネタまで、同一地平で取り扱える文体を模索し、獲得したのだ。

考え、書くことのジレンマ

最後に一点。この小説では、悩みを抱えた「鷗外」が、「漱石」に相談するという運びになっているが、先ほども書いた通り、史実として、森林太郎が夏目金之助とこうした会話を交わしたとは想像しにくい。鷗外が創作に悩んだ話を、自問自答という形で表現することもできただろうが、そうであったならば、この場面はもっと地味な、重苦しい姿になっていただろう。会話という形式であればこそ、賑(にぎ)やかになったし、読者も楽しめたのではないだろうか？

この小説では、「漱石」という名で指示されている〈何か〉は、単純化すると、「コンセプトをきちんと決めないで書き始める作家」、「鷗外」と名づけられた〈何か〉は、「コンセプトを決めてからでないと書けない作家」として、いわばモデル化されている。

そういう「漱石」は、たとえば、『吾輩は猫である』を書いたような夏目漱石だ。最初の章だけで終わるはずだった小説を、なんとなくそのまま続けて、あんなに長くなってしまったのが彼のデビュー作だった。それに対して、デビュー作『舞姫』を書く前の鷗外は、当時ドイツで刊行されていた最新のヨーロッパの小説を何十冊も読破して、「小説かくあるべし」と準備万端の状態だった。

小説家は、結局、いつもその両極の間を揺れ動くものだ。「小説とは何か」というのは、どんな時代にも、小説家を襲う疑念である。しかし、そのことを思いつめていると、必ず書けなくなってしまう。そこで他方では、「とにかく書く」という態度が絶対に必要となる。その間の永遠の行ったり来たりが、小説家の一生だ。

本作は、いつの時代も小説家を見舞う、そうした反復的な事件と、文学史上ただ一度だけあった口語体の誕生という事件とを重ね合わせた、野心的にして、しなやかな小説だ。

古井由吉『辻――「半日の花」』

新潮文庫
『辻』

読む前に

古井由吉さんは、一般の読者同様、あるいはそれ以上に、小説家が尊敬する小説家として、その最新作が常に待たれ、注目されていた存在だった。

同じ時代に、これほど違った内容、文体の作品が書かれているということを実感する上でも、他に取り上げた小説とあわせて読まれるべきだと思う。

本作は『辻』という連作小説中の「半日の花」という作品である。

森中（もりなか）という主人公が、青垣（あおがき）という昔の友人のことを回想する体裁（ていさい）で、豪雪の町に住んでいた頃、二人は雪の中をいっしょに歩いたことがある。

青垣から、酒でも飲まないかと誘いを受け、主人公が家を訪れた場面だ。

作品

今でも雪の小路に足音が聞こえるようだ、と青垣は懐(なつ)かしそうに受けて、雷も鳴ったな、静まると雪がいっそう降りしきる、なんだか一人ではないような足音の反響を不思議がっていると、雪の中から人が、森中が来る、と花の枝ののぞく庭のほうへ耳をやるようにしていたが、ところであれは、たった一晩のことだったか、それとも幾晩ものことだったのか、あの土地でどちらにも知り合いだった人の、亡(な)くなった晩だったことはなかったかしら、とたずねて、さて、あの土地に共通の知人はなかったはずだが、と森中が一度限りのことだったか再三のことだったか自分でも怪しくなって考えこむと、近頃、ふっと思ったことなのだ、それらしい記憶もない、夢だったかもしれない、と手洗へ立ちあがった。足音が聞こえなくなると細君が居ずまいを改めて、森中にむかって、黙って頭をさげた。歎願のような目を見せ、何かをたずねられる前に、子供を促して部屋から立った。

滅多なことは口走っていないつもりだが、一家の主人に年月の節が抜けるようでは、家の者も落着かないわけだ、と青垣は部屋に戻って来ると言った。家族たちのいくらかの動揺は心得ているようだった。しかし、目が見えなくなる、石のように見えなくなる、と切り出した。家族たちがむこうの部屋にいる様子なのに、声もひそめなかった。物事が見えなくなるという歎きと森中は取った。ところが、進退きわまって闇の中に坐りこんでいる、叫んでも声まで吸い取られそうな闇だ、と言う。神経性かあるいは脳の障害を森中はとっさに心配した。時々、起こるのか、とたずねると、青垣はそれには答えず、何の報いか知っている、とうに知っていた、と庭の宙へ視線を游がせ、その瞳があまりに澄んでいるように森中には感じられ、ほんとうに見えないのではないか、と駅に迎えられてから今までの青垣の振舞いを考えればあるはずもないことを疑ったが、青垣の目の動きは間遠に舞い落ちる花を追っていた。

夢の中のことだとわかって森中はひとまず安心した。しかし現実のことなのだ、と青垣は言う。覚めるから夢ではあるが、覚めても現実だ、と言う。長年の夢だと言う。近頃はまだ見ないと否定しながら、もう見ている、と振り戻す。一度見たものは過ぎない、と言う。青垣の話すことの矛盾に森中はついて行けずにいたが、その話す声があくまでも平静で、穏やかでさえあり、狂ったようなところはすこしもないので、青垣の言う覚めても続く夢の中へ、思い浮かべかねたまま、なかば惹きこまれた。青垣の声は家族の耳まで届いているはずだが、口調からして、まだ雪の街の思い出話にふけっているとしか聞こえていないと思われた。

報いと言っても、目のつぶれるほどの報いを受けるような事は、身に覚えがない、それほど烈(はげ)しくも生きて来てない、因果とか言われるような生い立ちでもない、まず人並みのところだ、と青垣は黙りこんだ森中を取りなした。まさに何も見えない、何があったという経緯どころか、驚きも訝(いぶか)りもない、大体、内容がないのだ、ただ見えない、と言う。しかし何の報いだか、知っている、とうに知っている、とまたそこへ戻った。その知っているというのも、夢の中のことではないのか、と森中はやっと押し返した。覚めれば知れなくなるのだから夢の中のことだ、と青垣はあっさり認めておいて、しかし今に見る夢ではないのだ、以前に見た夢をまた見ているのでもない、もう済んでいる、取り返しがつかないのだ、と言った。偏執の硬さはなくて、言葉にはならぬ境をそのまま差し出しているようで、森中は途方に暮れた。自分が半端に、わかるような気持で受けているのがいけないので、夢のことはあくまでも夢のこととしてたずねるべきなのだと戒めたが、言葉の継ぎようがなかった。そんな話をしながら二人して酒を注ぎあっているのが、庭の外から眺める光景のように感じられた。

古井由吉「半日の花」(『辻』新潮文庫)

文体の声

『日本文学盛衰史――本当はもっと恐い「半日」』では、文語文から口語文という言文一致運動について見てきたが、所謂〈話し言葉〉と口語文とは違う。〈話し言葉〉に対応するのは、〈書き言葉〉だ。

話し言葉は、『蹴りたい背中』でも触れたように、声の大きさや調子、表情、身振り手振りといった対面コミュニケーション上の付帯情報をアテにして、言葉を切り詰める性格を持っている。

面と向かっていれば、「まあね。」と笑うだけで通じることも、表情や声といった身体情報を削ぎ落として、書き言葉で伝えようとすれば、「同意はするが、正確な表現だとは思っていない」などと、その付帯情報に委ねられていた部分を言語化しなければならない。取り分け、印刷物やインターネットといった伝播メディアで、距離的に遠い他者に、何事かを伝えようとするならば、語り手の身体の欠落をいかにして補うか、様々な工夫が施される必要があった。書き言葉としての口語文のレトリックは、最初はそうしたところから、後には自律的に発展していったものだろう。

文体にはリズムがある。語の選択や言い回しがある。表記の仕方ひとつでも印象は変わる。そうして、口語体の書き言葉は、失ったはずの声の痕跡を帯びている。聴いたこともないはずの作者の声が、不意に響いてくる。いずれにせよ、語りが無音であることはない。

古井さんの文体には、取り分けその声が強く備わっているが、一方で、主語化された登場人物たちには、当然、生物学的、社会的な属性があり、それぞれに多様な声を持っている。それが鳴るのは、会話の部分だ。

『蹴りたい背中』では、その会話で、それぞれの登場人物の声が、潑溂と響いていた。それは、読者の頭の中に喚起された、高校生らしい声であり、強いて言うならば、文体の外側に響く声だ。地の文の文体から響く声ではない。

この「平日の花」では、しかし、カギカッコによって主語化された森中、青垣という登場人物たちの声を、余所から引っ張ってくるということがない。飽くまで地の文の文体がその底に持った声で、語り通される。主語化されるべき登場人物たちも、その一歩手前の述語的なうねりに留まっている気配がある。

そういうわけで、この小説にカギカッコを施すことは、そもそも、そうされるようにはできていないテクストを傷つける蛮行だと思うが、あえて本書の読者と一緒に内容の理解に踏み込むために、便宜的に次のような形にしてみた。

「今でも雪の小路に足音が聞こえるようだ」、と青垣は懐かしそうに受けて、「雷も鳴ったな、静まると雪がいっそう降りしきる、なんだか一人ではないような足音の反響を不思議がっていると、雪の中から人が、森中が来る」、と花の枝ののぞく庭のほうへ耳をやるようにしていたが、「ところであれは、たった一晩のことだったか、それとも幾晩ものことだったのか、あの土地でどちらにも知り合いだった人の、亡くなった晩だったことはなかったかしら」、とたずねて、『さて、あの土地に共通の知人はなかったはずだが』、と森中が一度限りのことだったか再三のことだったか自分でも怪しくなって考えこむと、「近頃、ふっと思ったことなのだ、それらしい記憶もない、夢だったかもしれない」、と手洗へ立ちあがった。足音が聞こえなくなると細君が居ずまいを改めて、森中にむかって、黙って頭をさげた。歎願のような目を見せ、何かをたずねられる前に、子供を促して部屋から立った。

「滅多なことは口走っていないつもりだが、一家の主人に年月の節が抜けるようでは、家の者も落着かないわけだ」、と青垣は部屋に戻って来ると言った。家族たちのいくらかの動揺は心得ているようだった。しかし、「目が見えなくなる、石のように見えなくなる」、と切り出した。家族たちがむこうの部屋にいる様子なのに、声もひそめなかった。「物事が見えなくなるという歎き」と森中は取った。ところが、「進退きわまって闇の中に坐りこんでいる、叫んでも声まで吸い取られそうな闇だ」、と言う。神経性かあるいは脳の障害を森中はとっさに心配した。「時々、起こるのか」、とたずねると、青垣はそれには答えず、「何の報いか知っている、とうに知っていた」、と庭の宙へ視線を游がせ、その瞳があまりに澄んでいるように森中には感じられ、「ほんとうに見えないのではないか」、と駅に迎えられてから今までの青垣の振舞いを考えればあるはずもないことを疑ったが、青垣の目の動きは間遠に舞い落ちる花を追っていた。

夢の中のことだとわかって森中はひとまず安心した。しかし「現実のことなのだ」、と青垣は言う。「覚めるから夢ではあるが、覚めても現実だ」、と言う。「長年の夢」だと言う。「近頃はまだ見ない」と否定しながら、「もう見ている」、と振り戻す。「一度見たものは過ぎない」、と言う。青垣の話すことの矛盾に森中はついて行けずにいたが、その話す声があくまでも平静で、穏やかでさえあり、狂ったようなところはすこしもないので、青垣の言う覚めても続く夢の中へ、思い浮かべかねたまま、なかば惹きこまれた。青垣の声は家族の耳まで届いているはずだが、口調からして、まだ雪の街の思い出話にふけっているとしか聞こえていないと思われた。

「報いと言っても、目のつぶれるほどの報いを受けるような事は、身に覚えがない、それほど烈しくも生きて来てない、因果とか言われるような生い立ちでもない、まず人並みのところだ」、と青垣は黙りこんだ森中を取りなした。「まさに何も見えない、何があったという経緯どころか、驚きも訝りもない、大体、内容がないのだ、ただ見えない」、と言う。「しかし何の報いだか、知っている、とうに知っている」、とまたそこへ戻った。「その知っているというのも、夢の中のことではないのか」、と森中はやっと押し返した。「覚めれば知れなくなるのだから夢の中のことだ」、と青垣はあっさり認めておいて、「しかし今に見る夢ではないのだ、以前に見た夢をまた見ているのでもない、もう済んでいる、取り返しがつかないのだ」、と言った。偏執の硬さはなくて、言葉にはならぬ境をそのまま差し出しているようで、森中は途方に暮れた。自分が半端に、わかるような気持で受けているのがいけないので、夢のことはあくまでも夢のこととしてたずねるべきなのだと戒めたが、言葉の継ぎようがなかった。そんな話をしながら二人して酒を注ぎあっているのが、庭の外から眺める光景のように感じられた。

もともと会話はカギカッコで括らなかった

現代の読者にとっては当然の、会話をカギカッコで括る習慣も、もともとは明治期以降に始まったことだ。この問題に深入りすることはできないが、『日本文学盛衰史――本当はもっと怖い「半日」』でも見たように、小説内でどれほど登場人物間の対話が行われていても、結局のところ、それは作者から読者に向けて発せられる声であることを考えるならば、カギカッコはむしろ不要なものだとも感じられるかもしれない。それは、話し言葉の語りが、そもそもカギカッコを持っていないのと同じだ。

時間軸は作られるもの

『若さなき若さ』でも見られた、直線的な時間軸の解体が確認できるだろう。

「半日の花」は、全体がひとつの回想の体裁を取っているが、回想の中に個々の回想があり、また今まさに語り出そうとしている現在がある。
もともと、人間の頭の中は、過去から未来へ向かってまっすぐ一直線に、均等に時間軸が整理されているわけではない。現在のことを考えていたあとに、急に何十年も前のことを思い出すこともある。ふと将来のことが頭に思い浮かんで不安になったりする。そうした混沌に、因果関係をつけ、社会で共有されている時計とカレンダーとに結びつけて、整理したものが、私たちの持っている時間感覚だ。

ところであれは、たった一晩のことだったか、それとも幾晩ものことだったのか、あの土地でどちらにも知り合いだった人の、亡くなった晩だったことはなかったかしら

この青垣の言葉には、記憶の混沌の中にある光景を、時間軸の上に並べて遠近をつけようとする手つきの緊迫がある。何かが損なわれて、失われてしまいそうであ

り、また何かが見えてきそうでもある。この手探りの感じが、会話には一貫して漂っている。

会話を進めるために人数を減らす

足音が聞こえなくなると細君が居ずまいを改めて、森中にむかって、黙って頭をさげた。歎願のような目を見せ、何かをたずねられる前に、子供を促して部屋から立った。

「細君」が部屋から外へ出ていき、森中と青垣の二人の会話になる。直接の意味としては、遠慮や気づかいと取れるが、小説の作りという意味では、この場に奥さんが居続けると、率直な打ち明け話に憚(はばか)りが出るし、会話の間、奥さんがどうしているのか、読者は気になる。そのために、いちいち奥さんの描写が挟まれても、うるさいだろう。奥さんを部屋から去らせることによって、結果的に二人だけで話す場面が設定されることになる。

不要なものをフレームの外に取り去ることによって、人間の認識はより強く一点に集中する。あまりにも不自然に人がいなくなると、違和感があるだろうが、ここでは、青垣の妻の描写は必ずしも詳細でないものの、その「部屋から立った」という行為自体が、むしろ彼女という主語を充塡している。

また、取り分け、「子供を促して」という些細な一句の挿入によって、読者は、会話が核心に迫ってゆく予感を与えられることになる。

前著『本の読み方』では、三島由紀夫（みしまゆきお）の『金閣寺』の中で、登場人物が茶を飲んでみせることで、会話の区切りが示されたことを指摘したが、こうした細かな間（ま）の置き方で、続く内容の印象はかなり変わってくるだろう。

『辻』の意味は？

この「半日の花」が、『辻』というタイトルの連作短篇集に収められている理由について考えてみよう。

人間は生まれてから死ぬまで一直線の時間の流れに沿って思考し、活動しているように見えて、実は常に、どちらへ行けばよいのか分からないような不安の最中に置かれている。「辻」は、四方に道が開いた場所であり、途方に暮れる場所であり、来し方行く末を見失ったまま立ち尽くす場所だ。文化人類学の知識がある人は、「辻」の真ん中に罪人を埋める習慣や、そこで死者や悪魔と出会したという伝説があることを知っているだろう。

雪の日に道に迷ったという印象的な出来事と、この「辻」の象徴性とを考え合わせてみる。その最中で語られる青垣の「目が見えなくなる、石のように見えなくなる」という言葉が語り出そうとしているところは何だろうか?

夢の中のことだとわかって森中はひとまず安心した。しかし現実のことなのだ、と青垣は言う。覚めるから夢ではあるが、覚めても現実だ、と言う。長年の夢だと言う。

一度見たものは過ぎない

しかし何の報いだか、知っている、とうに知っている、とまたそこへ戻った。その知っているというのも、夢の中のことではないのか、と森中はやっと押し返した。覚めれば知れなくなるのだから夢の中のことだ、と青垣はあっさり認めておいて、しかし今に見る夢ではないのだ、以前に見た夢をまた見ているのでもない、もう済んでいる、取り返しがつかないのだ、と言った。

作者がここで語っている「夢」とは何か？　いわれのない「報い」であり、見た以上は過ぎ去ることもなく、取り返しがつかない。そして、目が見えなくなる。

この夢を、死と解釈することは可能だろうか？　死こそは、方向の喪失であり、未来に備えられた過去の整理を無意味にしてしまうものであり、絶対の闇だ。

人は、日々の生の最中で、いつ死の不気味さに見舞われるか分からない。雪道に迷うという何気ない体験が、何事かを開顕していたことに気がついて慄然とする。論理や言葉ではうまく汲み尽くせないその夢のような何かに形を与えようと、言葉が尽くされる。

それは、決して醒めない夢であり、やがては確実に現実となり、しかもその手応えも確かめられない夢だ。

青垣はまだ、死としてそれを明瞭に自覚しているわけではない。しかし、その自覚がどうしても訪れぬからこそ不気味なのだ。生の感覚が揺らぎ、不意に何かの闇を垣間見る。「目がつぶれるほどの報い」と表現されるその夢が、到来を予告したまま、まだ踏み留まっている不穏さが、二人の対話からは感じ取れる。

効率的な言葉とは対極の世界

死は、合理化された社会生活の中で、効率性を優先させた言葉では語り得ない不気味なものだ。日常語で語ろうとすると、どうしても足許が滑ってしまって、しっかりと捉えきれない。受け取った側も、手応えを感じることができない。

インターネットの登場以降、日本語は、ますますやせていっているが、それは、一日あたりの処理情報量が、かつてとは比べものにならないくらい膨大になっている中で、日本語自体が、生き残りのために、変わろうとしているからだ。言葉のスピードは猛然たる勢いでますます上がり、それについていけない言葉は次々と振り落とされていっている。しかし、そこで取り扱うことのできないものこそが、いや、恐らくは扱うことのできないものだけが、文学のテーマとなる。

日々交換しているメッセージの文字数は限られているが、それでは語り尽くされていないことがあればこそ、多くの現代人が、日々、ネット上に何かを書きつけている。

本作『辻――「半日の花」』で語り出されている言葉は、日常が速度によってあえて見ぬようにしているものを、底からゆっくりと掬い取って、丹念に明るみに出してゆく。それは、文学が文学である必然を問う声でもあるだろう。

伊坂幸太郎

『ゴールデンスランバー』

新潮文庫
『ゴールデンスランバー』

読む前に

小説のジャンル分けの利点と弊害は基礎編で書いた通りだが、多くの読者はなんとなくその違いを感じていて、エンターテインメントと純文学という区分も、なんだかんだと言われながら、現実的には存在している。エンターテインメント作品が好きな人はエンターテインメント作品を中心に読み、純文学が好きな人は純文学を読むという傾向は、いまだにあるだろう。

現在も、八面六臂（はちめんろっぴ）の活躍をしている伊坂幸太郎さんだが、『ゴールデンスランバー』は、ご本人の言葉によると、「伊坂幸太郎的に娯楽小説に徹したらどうなるか」ということを念頭に置いて書いたという、まさしくエンターテインメント作品で、山本周五郎（やまもとしゅうごろう）賞を受賞し、二〇〇八年の出版界を大いに沸かせた。

首相暗殺の犯人に仕立て上げられた青年の物語で、取り上げたのは、事件直後の場面だ。

作品

細道に入った途端、すぐに右の道へ折れる。飛び出した十字路を左折する。そのまま走っていけば、東西を走る広い通りに出る。後ろから、警察が追ってきてはいるのだろうが、まだ、距離はある。肩からかけた鞄（かばん）を探る。携帯電話を取り出す。

どこにかけるつもりだ？　息が切れる。配達をやめて三ヶ月ほどで、もう、こんなに体力がなくなっているのか、と愕然（がくぜん）とする。

道の左右に並ぶ建物から、ぽつぽつと人が出てくる。視線を上げれば、窓から外を眺めている顔も多い。一瞬、彼らは、自分のことを見て、眺め、睨(にら)み、もっと言えば監視し、さらには、追跡者に居場所を報(しら)せるためにそこにいるのではないか、と怖くなった。これはもう多勢に無勢であるから、自分ひとりがくねくね走ったところでとうてい逃げ切れない、とその場にへたり込み、参りました、と白旗を振りたくもなったが、よく確認してみれば、彼らは一様に東方向の、もっと遠くを窺(うかが)っていた。東二番丁通りのパレードでの騒ぎを気にかけているのだ。

何が起きているんだ？

「金田はパレード中に暗殺される」と森田森吾は断定した。「森の声？」「森の声なんて、ねえよ」

片側一車線の道に出る。現実の光景とは思えないほどに、騒然としていた。道を人々が右へ左へと駆けている。歩道ばかりか、停車している車の間を縫うように、縦横無尽に車道も横切っていた。慌(あわただ)しく周囲を見渡す。先ほど見えた白い煙は依然として、立ち昇っていた。

「あの」と青柳雅春は、右手から走ってきた背広の男性を呼び止める。

「何?」あからさまにむっとした顔で、彼は立ち止まった。

「どうなってるんですか?」

「パレードで爆発だってよ」

「で、今、みんなどこへ走ってるんですか?」

「現場に行くか、逃げるのか、どっちかだろ」

「どれくらいの被害なんですか」

「さすがに、金田は即死だろな」男は、じゃあ俺は行かねえと、と野次馬の使命感を見せ、走り去った。パレードで爆発、金田は即死、と言われ、言葉では受け止められた。が、実感としては分からない。「オズワルド」と森田森吾が発音した響きがまた、甦る。

直後、自分の後方で、つまりは今まさに走ってきたあたりで、空気が風船のように広がり、飛び散る、そんな気配があった。音が破裂し、風が吹いた。誰かの悲鳴が伸びた。歩道を行き来している人々が立ち止まり、口を開け、視線を上げる。

「え、また、爆発？」と誰かが洩らした。

「おい、何だよこれ」別の誰かが喚いた。

青柳雅春は混乱し、左へ足を踏み出すが、すぐに右へと向きを変える。爆発の音と震動に立ち止まる歩行者の隙間から、停車しているタクシーが見えた。空車の灯りが点いている。迷うこともできなかった。ドアの開いた後部座席に滑り込んだ。

「お客さん、また爆発だよねえ」と運転手が言った。髪が長く、耳を覆っている。バックミラーを見ると、彼の額が目に入った。皺がいくつも横に走っている。ミラー越しに、目が合った。

「やっぱり爆発ですか、あれ」

「どうなってるんだろうねえ」

「車、走ります？」

「どこまで行くの」

伊坂幸太郎『ゴールデンスランバー』（新潮文庫）

エンターテインメント作品の二つの特徴

映画でも小説でもそうだが、エンターテインメントと分類される作品に特徴的な二つの要素は、「謎解き」と「逃亡」である。

「謎解き」の核にある「知りたい」という欲求については既に書いた。

「逃亡」はどうだろうか？

一番分かりやすい例は夢だ。私たちは、どんな夢を見ている時に、死に物狂いで、一瞬も気を緩（ゆる）めることができず、その夢に没入しているだろうか？　恐らくそれは、何かに追いかけられて、逃げている夢だろう。

他の夢はのんびり気楽に見ていられるが、逃げる夢だけはそうはいかない。とにかく必死になって、目が覚めた時には汗ばんだり、息が切れたりしている。

映画でも、主人公が誰かに追いかけられている場面は、どうしても途中で見るのを止められない。「逃亡」だけをテーマにした映画はいくらでもある。『インディ・ジョーンズ』にしても、冒険の大半は、「謎解き」と「逃亡」だ。あとは、ラヴ・ロマンスがちょっと、という感じだろうか。

「逃げる」というテーマの時には、せっつかれるようにして、否応なく、プロットを駆け抜けていく。「謎解き」はむしろ、前のめりになって、自分からプロットを辿（たど）ってゆく。

この二つの要素は、小説でも、映画でも、テレビドラマでも、何千回、何万回と繰り返されているにも拘わらず、今以て読者や鑑賞者を飽きさせることがない。

謎を解きながら逃げる。逃げながら謎を解く。この組み合わせが持つ読者にページを捲（めく）らせるパワーを改めて知らしめたのが、『ゴールデンスランバー』だ。

舞台設定の浮揚感

『ゴールデンスランバー』が「娯楽小説」として成功した理由のひとつは、今言った「謎解き」と「逃亡」だ。よく分からない理由で首相暗殺の犯人に仕立て上げられた主人公は、ひたすら逃げて逃げて逃げまくる。その過程で、どうしてそんなことになってしまったのかという謎の解明がなされてゆく。

この作品は、ケネディ暗殺の一種のパロディとして書かれている。小説の最初のほうで、「オズワルドは本当に犯人だったのか」という疑問が投げかけられ、今でも疑いを持たれている人物がいることが書かれているが、主人公は気がつけば、自分がオズワルドになってしまったのかもしれないと感じながら、逃げ回らなければならなくなっている。

このために、プロット上は、日本で首相公選制が導入されているという設定になっている。日本という国の国土の狭さや人口の多さ、日本人の持っている政治的傾向、歴史的経緯など、色々な理由で、首相公選制は難しいだろうと考える人は多いと思うが、むしろそれが非現実的であるからこそ、この小説は現実の拘束のたがを外して、自由なエンターテインメント空間を獲得しているように見える。

設定として、近未来的な監視システムが張り巡らされているところにも、浮揚感がある。

小説家は、作品の舞台設定として、リアリズムと荒唐無稽さとの比率に頭を悩ませるものだ。「娯楽小説」の場合、まさしく娯楽であるのだから、現実的過ぎてしまうと、没入感が殺がれてしまう。といって、作者の妄想があまり好き勝手だと、つきあいきれない気分にもなる。『ゴールデンスランバー』の場合、設定の絶妙な非現実感が、テロという深刻な事件を、読者にほとんど気にかけさせないまま、スピード感をもってプロットを前進させることができたのではないだろうか。

大事件の周辺にエンターテインメントあり？

この作品は、爆弾テロで首相が暗殺される話だが、事件の政治的背景については、特に深入りしていない。そこを追求すれば、また別の種類の「娯楽小説」になっただろうが、「逃亡」のスピード感は、否応なく落ちていただろうし、規模がもっと大きくなっていただろう。その意味では、「小さく説く」ためのフレーミングが、非常に計算されている印象だ。

また、登場人物の名前が「青柳雅春（あおやぎまさはる）」、「森田森吾（もりたしんご）」と、ずっとフルネームで出てくるのも特徴的だ。歴史的事件に関わっていた人物やニュースで報道される容疑者などは、基本的にフルネームで、これによって、登場人物たちが、メディアの中で情報化される存在であることが、さり気なく印象づけられている。

前半と後半が線対称

娯楽小説の見所のひとつとしてよく語られるのが、「伏線」だ。プロットの至るところに、小さな謎がちりばめられていて、読み進めていくうちに、「ああ、あれはそういうことだったのか」とそれが次々と判明してゆく。そして、その細かな謎の解決が、最終的には〈究極の述語〉へと繋がってゆく。これが、「伏線」の面白味だ。

『ゴールデンスランバー』の場合、小説の前半の伏線と後半の解決とは、作品の真ん中を挟んで、ほとんど線対称のように配置されている。普段、「娯楽小説」を読まない読者には、この問題と解答とのほとんど幾何学的な応答の構造に、新鮮さを感じるのではないだろうか？　あるいは、数式を与えられて、自分で得た解の答え合わせがされてゆく快感かもしれない。

読者を惹きつける工夫

『ゴールデンスランバー』は、三人称で書かれた小説だが、視点は主人公の視点に近い形で書かれている。

細道に入った途端、すぐに右の道へ折れる。飛び出した十字路を左折する。そのまま走っていけば、東西を走る広い通りに出る。後ろから、警察が追ってきてはいるのだろうが、まだ、距離はある。肩からかけた鞄を探る。携帯電話を取り出す。

読者の視線が主人公の視線とぴったり重なって、作品の内側に入り込んで景色を眺めているかのようだ。ここにあるのは、ただ必要最小限の認識だけであって、描写は一切ない。それが、実際に走っているような緊張感を与えている。

どこにかけるつもりだ？　息が切れる。配達をやめて三ヶ月ほどで、もう、こんなに体力がなくなっているのか、と愕然とする。

この肉体感覚の挿入によって、主人公と読者の視点との一体感はいっそう緊密になる。

道の左右に並ぶ建物から、ぽつぽつと人が出てくる。視線を上げれば、窓から外を眺めている顔も多い。

「視線を上げれば」という部分は、主人公が視線を上げることを表していると同時に、読者の視線を上げさせる役割も担っている。小説では、読者の目を次の描写の場面に導くために、「顔を上げると」とか「下を向くと」といった言葉で、登場人物の視線の動きを示唆する言葉を利用することが多い。

主人公の視線が一カ所だけを見つめていると、主人公の背後にある空間的な広がりが見えてこなくなるし、そのままの状態で描写してしまうと、そこに作者の視点が割り込んできたことが感じられてしまうからだ。当然、ここでは焦燥に駆られている主人公の視点であるだけに、描写は、事実確認だけの素早いものでなければならない。

いかに上手く読者を裏切るか

基礎編でも書いたが、ここでも、「予期したことが裏切られる」ことが、読者の興味の持続に寄与している。「逃亡」と「謎解き」という、ともすれば、ストレートなプロットの矢印を描いてしまいそうなテーマこそ、予測をダイナミックに裏切って、「次はどうなる?」という期待を刺激し続けなければならない。裏切られることが、先へ読み進めていくための原動力となるのだ。

一瞬、彼らは、自分のことを見て、眺め、睨み、もっと言えば監視し、さらには、追跡者に居場所を報せるためにそこにいるのではないか、と怖くなった。これはもう多勢に無勢であるから、自分ひとりがくねくね走ったところでとうてい逃げ切れない、とその場にへたり込み、参りました、と白旗を振りたくもなったが、よく確認してみれば、彼らは一様に東方向の、もっと遠くを窺っていた。東二番丁通りのパレードでの騒ぎを気にかけているのだ。

この部分では、逃げている主人公が周囲の人たちから一斉に監視されているような感覚を覚えるのだが、読者も一緒にドキッとした後では、「よく確認してみれば」で、実は錯覚だったことが明かされる。むろん、これは、ずっと逃げ回っている主人公の疑心暗鬼の不安であるのと同時に、せっぱ詰まった状況での認識機能の低下をも表現している。

読者の疑問を代弁する声

何が起きているんだ?

ここでもやはり、登場人物の質問は、読者の疑問を代弁する声であるとともに、それに対する答えを引き出して、プロットを前進させる機能を担っている。

「金田はパレード中に暗殺される」と森田森吾は断定した。

金田というのは、首相であり、森田森吾は主人公の友人だ。森田森吾は自分で予知能力があると称する人間で、ここでは彼の予言めいた言葉が記憶という形で挿入される。「何が起きているんだ？」という疑問に対する仮の答えだ。

さらに、このワンステップを経て、答えが出てくる。


「どうなってるんですか？」

「パレードで爆発だってよ」


「何が起きているんだ？」という謎に対して、情報を収集して、「パレードで爆発」というより確度の高い答えへと辿り着く。

「謎解き」では、当然のことながら、

主人公が疑問を持つ
←
推測により仮の答えを出す

←情報をもらう

←答えを修正する、新しい推測

←新たな情報をもらう

←答えを修正する

といった形で、最初の疑問に対する、より完璧な述語を探してゆく。ここでは、「パレードで爆発だ」がその述語だ。基本的に、登場人物の疑問のあとには、重要な情報が出てくる可能性が高いことを注意しておこう。ポイントとなるのは、「情報」収集であり、推論である。

どのように情報を見せていくか

『若さなき若さ』で、登場人物の言葉へと迂回することで、設定にリアリティを持たせるということを見てきた。「完璧なフランス語を話す教授」の話だ。

この小説のように、プロットの中で、大事件が起こる際にも、それが単に、作者によって勝手に設定された作り事と受け取られないように、登場人物の口を借りることは重要だ。

「どれくらいの被害なんですか」

「さすがに、金田は即死だろうな」

やや突飛な話だが、たとえばテレビの政治家のインタヴューなどでも、あまり正面からカメラを見据えて語られると、なんとなく、本当かね？と疑いたくなるような気分になる。ところが、誰かと喋っている姿を斜め横から映されると、こちらに客観的に判断する余裕が与えられたような感じがして、かえって、本当のことを言っているように感じられる。

小説もそれと似ているところがある。あんまり馬鹿正直に、作者が読者に向かって設定を説明していると、小説の興奮は台なしにされてしまう。なぜ、主語化された人物が登場し、会話したり、移動したりする小説という形式が必要とされるのか、その辺にも理由があるだろう。

情報を提供するためだけの登場人物

小説には、情報を提供するためだけに登場する人物もいる。この場面では、主人公から呼び止められた男がそうだ。

「あの」と青柳雅春は、右手から走ってきた背広の男性を呼び止める。

「何？」あからさまにむっとした顔で、彼は立ち止まった。

「どうなってるんですか？」

「パレードで爆発だってよ」

「で、今、みんなどこへ走ってるんですか？」

「現場に行くか、逃げるのか、どっちかだろ」

「どれくらいの被害なんですか」

「さすがに、金田は即死だろな」男は、じゃあ俺は行かねえと、と野次馬の使命感を見せ、走り去った。


野次馬の男は、情報を提供する役割だけに徹して走り去っていく。この男は、この作品の中に二度と出てこないが、実際にも、この状況なら、こうした野次馬的人間はいるだろうから、ほとんど違和感を感じないだろう。自然な形で、またひとつ情報が主人公に、ということはつまり読者に提供されている。こうした人物は、基礎編でも見た通り、プロットの背景にとどまっておいてもらうために、固有名詞によって〈主語化〉を強調されてはならない。

「え、また、爆発？」と誰かが洩らした。

「お客さん、また爆発だよねえ」と運転手が言った。

これらの部分も、同様である。

とにかく、情報を作者自らが喋りすぎてしまわず、しかもその提供者が、テンポよく巧みに配置されているというのが、この小説の臨場感のミソだろう。

読者が時間をコントロールできる

述語の二分類をここで改めて思い出してもらいたい。主語充填型とプロット前進型。

『ゴールデンスランバー』の場合、取り分け、主語を充塡するためだけに機能する述語が非常に少ないのが特徴だ。そのために、助詞を挟んだ小さな矢印が、常に前へ、前へと向いている。主人公が、極平凡な青年に設定されているために、内面描写の停滞感がなく、複雑な心理を説明しない分、主語の空洞は、感情移入する読者が各々で充塡できるようになっている。

もちろん、このプロットを前進させる細かな矢印は、単調な運動はせず、非常に小回りの利くコーナリングで読者を翻弄(ほんろう)する。

青柳雅春は混乱し、左へ足を踏み出すが、すぐに右へと向きを変える。

作者の意図したことかどうかは分からないが、『ゴールデンスランバー』は、読者がスピードをかなり自由にコントロールして読める小説だというのが、読後の私の印象だった。

プロットは単純至極にして展開が速いので、逃げている場面などは、読み飛ばそうと思えば読み飛ばせるし、じっくりと読みたいと思えば読める。

動画であれば、主人公が逃げ回っているシーンに飽きれば、早送りでも大体分かるし、内省している場面や会話をしている場面になればじっくり見ればいい。

もちろん、そうした見方がいいと言っているわけではないが、『ゴールデンスランバー』のリーダビリティの高さは、読者の読書スピードの調整の幅が大きく取られているからではないだろうか。「早送り」したり、「スロー再生」したりと、一〇〇〇枚という長さが苦にならずにあっという間に読めてしまうのだ。

瀬戸内寂聴

『髪――「幻」』

新潮文庫
『髪』

読む前に

瀬戸内寂聴さんが、二〇〇〇年に発表した短篇集『髪』のなかの「幻」という作品だ。

『ゴールデンスランバー』とは打って変わって、こちらは、作者が自分の中の語りかねていたことがらを謐々（ひつひつ）と綴（つづ）ったような小説だ。

離婚した昔の夫が癌（がん）で病院に入院しており、電話をかけてくるところから始まる。

早くから別居していて、場所も京都と東京という離れたところに住んでいるが、電話のやりとりだけは続いている。

後に見る『恋空』と同様、死を迎える恋人との物語なので、対比しながら読んでみても面白いだろう。

作品

脳に上る直前、病院のベッドから真夜中、晶が電話をよこした。もう晶からの電話を待たず、私から毎日、晶の病室や家へ電話をかけ容体を尋ねていた。私の立場としては度を過ぎる見舞いに上京しても、晶は自分の体の方が大切だよとは、一度も口にしなかった。深夜の電話に不吉な予兆に怯(おび)え受話器を取った私は、弱々しいが晶にちがいない声を聞いてほっとした。

「もう死ぬよ、おれは」

「何いってるの、絶対死なないって、ついこの前もいったじゃないですか、あんなに切りきざまれてもたちまち恢復(かいふく)するんだもの、生命力が異常なのよ大丈夫」

「もう絶望だ。死ぬ人間だと心で思って、表面は出来るだけのん気にふるまってくれないか」

抑揚のない声が、もう他界からの声のように妙に空々しく聞えてくる。

「すぐ行きます。朝一番で発つわ。明日十時には病院へつくと思う」

「長くいるつもりで来てくれ、今度は」

「わかったわ、眠れる？　今夜、奥さんは」

「夕方、過労で貧血おこして今夜は家へ帰って寝ている」

「彼女こそ限界ね」

腹も胸も切り口が荒々しく走り、人工肛門の穴まで穿たれた軀に、極道のように白い晒しが巻きつけられている。

「斬られ与三になったって、マカロニお化けになったって、鼻にチューブを通されたって、そんなこと俺は平気だよ。生きるためなら何だってやる」

病気のはじめ、まるで予言したようにいった通りの姿になって、晶はベッドに倒れていた。

意識は確かで、口ほどに自分の生命に見切りをつけていない証拠に、その朝ふと伝わってきた中国産の癌の特効薬を急遽取り寄せようとして、中国通の知人に自分で電話をかけて呼び寄せたりしていた。

薬で晶が眠らされている顔を見つめながら、私は男の寝顔をしみじみ見つめるような夜を失ってからの、長い歳月をたぐりよせていた。

敏捷な身のこなしや、朗々とした声音や、挑戦的な言葉の為に、年よりはるかに若く見えていた晶が、今は年相応の顔で眠っている。軀の痛ましさに似ず、その寝顔は不用意なほど無抵抗な表情に見えた。

ベッドの脇に落された掌をそっと取って直そうとすると、思いがけない強さでその手を握り締められた。夢の中なのか覚めているのかわからない。妻とまちがえているのかもわからない。そのままされるままになっていると、ふっと力を抜き、私に背をむけ壁の方に寝がえった。引きずられた幾つもの管をもとに戻しながら、私は咽喉元に突きあげてくる涙を懸命に嚥み下していた。

晶が闘病生活に入った三年間、私は遠い旅はほとんどしていない。いつ死んでも不思議でないと医者から訊(き)きだしていたからだった。どうしても行かねば収まらなかった上海(シャンハイ)での大切な展覧会には、午前中に着いて夜の飛行機で日帰りするという曲芸までやってのけていた。
主治医達は陰で、晶の生命力の尋常でないのを、奇跡としか思えないといった。晶のこの世の地獄が始まったのは、肺に転移した癌を手術不可能と告げられてからだった。

瀬戸内寂聴「幻」(『髪』新潮文庫)

〈距離〉を見定める

この小説は、〈距離〉が大きなテーマとなっている。心理的な距離、物理的な距離、生と死の距離と、いくつもの〈距離〉が巧みに重ね合わされている。

脳に上る直前、病院のベッドから真夜中、晶が電話をよこした。もう晶からの電話を待たず、私から毎日、晶の病室や家へ電話をかけ容体を尋ねていた。

「脳に上る直前」というのは、言うまでもなく、癌が脳に転移することを意味している。死が迫っている。癌の広がりという身体の内部の場所を巡る動きが、人間を死そのものへと接近させつつあることが象徴的に語られている。

私の立場としては度を過ぎる見舞いに上京しても、晶は自分の体の方が大切だよとは、一度も口にしなかった。

ポイントは、「私の立場としては」という言葉だ。〈妻〉ではなく、〈元妻〉の立場であり、物理的にも離れたところに住んでいる。夫婦関係は既に終わっており、主人公は少し離れた、〈妻〉より遠い位置から彼とかかわろうとしていることが分かる。

一方で、「晶」のほうは、「度を過ぎる見舞いに上京しても、晶は自分の体の方が大切だよとは、一度も口にしなかった」というように、むしろ物理的にも、関係上も、その距離を再び縮めたがっている。

深夜の電話に不吉な予兆に怯え受話器を取った私は、弱々しいが晶にちがいない声を聞いてほっとした。

「弱々しい」という表現は、もちろん、生から遠ざかって行きつつあることであり、自分から離れていく様子を表したものである。遠ざかる距離が、声を小さくさせていると言うべきだろうか。

一方、「声を聞いてほっとした」というのは、電話とはいえ、それによって物理的な距離が、気持ちの上で少し乗り越えられたからだ。しかし、

「もう絶望だ。死ぬ人間だと心で思って、表面は出来るだけのんき気にふるまっ

てくれないか」

抑揚のない声が、もう他界からの声のように妙に空々しく聞えてくる。

「弱々しい声」は、ここでいっそう、死へと遠ざかってゆく。これが、主人公が上京によって、一気に距離を縮めようと決断をするきっかけとなる。

「すぐ行きます。朝一番で発つわ。明日十時には病院へつくと思う」

物理的な距離を埋めることで、生死の間に開こうとしている距離、心理的な距離、関係の距離を一気に、夢中で縮めようとする健気(けなげ)な様子が読者の胸に響く場面だ。しかも、彼女は現在は妻ではなく、立場的な距離だけは埋めようがない。その悲しさが、あえて書かれないことでむしろ印象を強くしている。

距離の揺らぎ

電話での会話の終わりとともに、病院に場面が変わるが、その転換は極めて自然で、さり気ない。その距離を埋める移動の間に、どんなに苦しんだかというような主人公の主語へと向かう述語は一切なく、駆けつけた、という印象と、夢中で何も考えられなかったというような状態とを二つながら示している。

腹も胸も切り口が荒々しく走り、人工肛門の穴まで穿たれた軀に、極道のように白い晒しが巻きつけられている。

ここから先は、彼の肉体だけが目の前にあって、言葉が一切なくなっていく場面だ。死にいっそう近づいていく彼の姿がそこにある。

場面展開の前後では、状況が対照的になっている。前半は、肉体は目の前にないけれど、彼の声がある。反対に後半部分は、肉体は目の前にあって、物理的な距離は縮まったけれども、彼の声はなく、沈黙が続いている。会話の場面から、デクレッシェンドのように静かに沈黙場面に移っていく。後に見る『恋空』の〈身体情報〉の問題とあわせて読んでみよう。

「意識は確かで」という一文によって、病気によって肉体は否応なく死に近づいていく中でも、本人の意識は、むしろ生のほうに戻ってこようとしていることを示している。死に引き寄せられていく肉体のベクトルとそれに抵抗して生に向かおうとする意識のベクトルとの対比が描かれて効果的だ。

　薬で晶が眠らされている顔を見つめながら、私は男の寝顔をしみじみ見つめるような夜を失ってからの、長い歳月をたぐりよせていた。

離婚した現在の二人には距離があるが、長い年月をたぐりよせ、幸せに暮らしていた頃のことを思い出し、二人の関係の距離が、記憶の中で縮まって寄り添っていく。

ベッドの脇に落された掌をそっと取って直そうとすると、思いがけない強さでその手を握り締められた。夢の中なのか覚めているのかわからない。妻とまちがえているのかもわからない。

手を握りしめられるという身体的な接触によって、二人の距離はとうとうゼロになる。

主人公がどういうつもりでそうしたのかということは詳細には説明されず、妻と間違えているのかもしれないとさえ推測される。明示的ではないが、この彼女を摑んだ手は、ここで主語化されている。生に留まるために、藁(わら)をも摑もうとするかのようなこの手が、何を意味しているのか、どういう述語が、この主語化された手を満たすのか、読者にとっては読みどころのひとつだろう。

そのままされるままになっていると、ふっと力を抜き、私に背をむけ壁の方に寝がえった。引きずられた幾つもの管をもとに戻しながら、私は咽喉元に突きあげてくる涙を懸命に嚥み下していた。

さり気ない一瞬だが、いったんゼロになった距離が、再び開く象徴的な場面だ。「引きずられたいくつもの管」は、「晶」を生の世界に繋ぎ止める医療設備の提喩（部分によって全体を表す比喩表現）となっている。

離れていた長い間の二人の距離が、このわずか二ページほどの記述の中で、大きく動揺し、急速に近づいてゼロになったのちに、再び開き始めた。それは、彼が二度と引き返してはこれない遠くへと向かってゆくことを意味している。そのことに、主人公は涙するのだ。

主人公が、彼が癌になってから、遠い旅をほとんどしていないと語るのは、この距離のドラマが、いつ演じられるかが分からなかったからである。何かあればすぐに駆けつけられる距離が、この三年という時間、ずっと守られていた。それは、二人を巡るあらゆる距離を象徴する物理的な距離であり、それを埋めて良いのは、死という決定的な距離が訪れる一瞬だけである。

無駄のない文章

プロットの〈大きな矢印〉は、一見、「晶」を死へと運んでゆく直線的な流れを示しているように見えるが、その辿り着く先の〈究極の述語〉は、「一人の男の死」ではないだろう。今見てきたように、距離の揺らぎそのものが主題化されており、しかも、重苦しい停滞感が生まれてもおかしくない文章は、ふしぎに静かに流れてゆく。

作者が生涯に執筆した作品の数は膨大だが、この文章の自然さには、そうした時間の中でだけ形作られたような美しい曲線がある。

新しい小説を模索して、格闘する中で鍛錬される文体もあるが、『日本文学盛衰史――本当はもっと怖い「半日」』でも書いた通り、小説家には、とにかく書き続けるという無闇な態度が、どうしても必要なのではないかと思う。

書いて書いて書き続けた挙げ句に、取れるものがみんな取れてしまって、ただ文章だけが残った文章というのが、小説家の理想ではないだろうか。

イアン・マキューアン『アムステルダム』

新潮文庫
『アムステルダム』

読む前に

イアン・マキューアンは、イギリスの小説家らしく、ストーリーテリングの巧みさで知られる。『愛の続き』や『贖罪』など、作品が次々と映画化されているので、そちらで名前を知った人もいるだろう。

本作『アムステルダム』でも、その抜群のストーリーテリングは遺憾なく発揮されている。洗練された知的なプロットは、運転の巧みな高級車にでも乗っているようで、急カーブの連続でもガタつきや揺れがなく、足回りは非常にコンパクトでスムーズだ。表面の仕上げも、工芸品的に美しい。

私小説的な作品が支配的だった日本の近代文学史では、ストーリーテラーの小説家は、どちらかというと、通俗的に見られたり、軽んじられてきたところがあり、芥川龍之介なども、個人的には、過小評価されていると思う。

人間のいわく言い難い心情を、美しい自然の風景を織り交ぜながらしっとりと描き出すのも小説だが、こうした乾いた、クールにコントロールされた小説には、また別の魅力がある。忠犬ハチ公も健気でかわいいが、こちらはグレイハウンドのような、スマートで賢そうな洋犬といったところだろうか。

主な登場人物は、リベラルな大衆紙の編集長ヴァーノン、作曲家クライヴ、保守政治家の外務大臣ガーモニー。彼らの繋がりは、亡くなった共通の愛人だ。

ヴァーノンは、ガーモニーの首相就任を阻止し、ついでに発行部数の減少に歯止めをかけるべく、彼の同性愛スキャンダル写真を新聞に掲載しようとする。

その話を聞かされた友人のクライヴは、リベラル派を自認していたくせに、女装をネタに彼の政治生命を抹殺しようとは怪しからんとヴァーノンを非難し、ケンカになる。

一方、作曲に行き詰まっていたクライヴは、気晴らしに行った旅先で見て見ぬフリをした男女のもめごとが、実は連続強姦(ごうかん)事件だったと分かり、今度はヴァーノンから警察に届けるべきだったと非難される。

ヴァーノンは、ガーモニーのスキャンダルを新聞に掲載するが目論見(もくろみ)は失敗。新聞社をクビになった腹いせに、クライヴが事件を目撃していると警察にたれ込む。新作の締め切り前に邪魔をされたクライヴは、彼に憎しみを抱くようになる。

そうした経緯の後に、いよいよ新作の初演を迎えたクライヴだ。

作品

楽屋口に指揮者のロールスロイスが待たせてあるのでクライヴをホテルまで送っていこうということになった。が、ボーはオーケストラのことで用事があったので、クライヴはコンセルトヘボウの外の暗がりで数分間ひとりになることができた。ファン・バールレ通りの群衆のなかを歩いた。夕方のコンサートに人が集まりはじめていた。シューベルトだ。（これ以上梅毒病みのシューベルトを聴く必要があるのだろうか？）クライヴは街角に立って、いつもかすかに葉巻の煙とケチャップの味が感じられるアムステルダムの柔らかい空気を吸い込んだ。自分のスコアは知りつくしており、Aの音がいくつあってあの部分が本当はどう響くかも分かっていた。いま経験したのは耳の幻覚、幻想——というより幻滅だった。変奏の欠如によって一世一代の傑作が台なしにされたのであって、いまやクライヴは前よりもさらに（前よりも上の段階がありうるとしてだが）計画について頭がはっきりしてきた。自分を動かすのはもはや怒りではなく、憎しみや嫌悪でもなく、口に出したことを実行する必要でもなかった。これから行なうことは契約として正しく、道徳を超越した純粋幾何学的な必然性がある。クライヴは何も感じなかった。

車のなかでボーは一日のリハーサルをふりかえり、楽譜をそのまま演奏できた多くのセクション、あした個別に練習させるべき一、二のセクションについて話した。欠点は分かっていても、クライヴは大指揮者に交響曲を絶賛で祝福してもらいたくて、探るように質問をした。

「全体としてちゃんとまとまっていると思う？　つまり、構造として」

　ジュリオは手を伸ばしてガラスの仕切りを閉め、運転手に話が聞こえないようにした。

「大丈夫、すべてよしだ。ただここだけの話……」ジュリオは声をひそめた。「第二オーボエの若い子ね、きれいだけど演奏はどうも。ま、あの子のパートは難しくないんで助かった。とにかくきれいだね。今晩ディナーの約束をしたよ」

　ホテルにつくまでの短いあいだ、ボーはほぼ終わりに近づいたＢＳＯ（ブリティッシュ・シンフォニー・オーケストラ）のヨーロッパ・ツアーを回顧し、クライヴは前回ボーと仕事をしたときのこと、プラハにおける「交響的乱舞」再演の思い出を語った。

「うん、そうそう」と、車がホテルの前に止まってドアが開けられたときにボーは声を上げた。「覚えてるとも。ものすごい作品だったね！　若き日の創造力。取り戻そうとしても難しいだろう、ええ、マエストロ？」

イアン・マキューアン『アムステルダム』（新潮文庫、小山太一訳）

記号による圧縮の技術

事前のあらすじを読んで、かなりの長篇なのではと思った人もいるかもしれないが、文庫で二〇〇ページほどと、規模としてはむしろ中篇程度だ。

この小説では、要点をかいつまんだような味気ない記述に陥ることなく、複雑なプロットが非常にコンパクトにまとめ上げられているが、ここではその「小さく説く」圧縮技術に注目してみよう。

どうにかこうにか新作を間に合わせて、アムステルダムに乗り込んだクライヴは、心配していた通り、リハーサルで確認した新作のクライマックスの出来映えに絶望して会場をあとにする。滑稽に鳴り響くA音が頭から離れなくなっている。

圧縮の技術として、まず、〈記号〉の効果的な使用が目につく。

楽屋口に指揮者のロールスロイスが待たせてあるのでクライヴをホテルまで送っていこうということになった。が、ボーはオーケストラのことで用事があったので、クライヴはコンセルトヘボウの外の暗がりで数分間ひとりになることができた。

「ロールスロイス」というのは、言うまでもなく、「指揮者」の社会的な地位を表す〈記号〉だ。

「?」が「疑問」を意味し、「↓」が「進行方向」を意味しているように、「ロールスロイス」は、それに乗ることができる人が、どういう職業に就いていて、どれくらいの社会的な地位にあり、どういった経済状態にあるのかを、私たちに教えてくれる。ヴィトンのバッグを持っている人や、胸に「一番」と書かれたTシャツを着ている人が、どういう人なのか、私たちは、いちいち説明されなくても、なんとなく想像がつく。普段は意識しなくても、私たちは、社会の中に無数にちりばめられている、そうした〈記号〉を認識しながら、効率的に〈意味〉の処理を行っているのだ。

その「ロールスロイス」が「待たせてある」。指揮者のボーは、要するにそういう人だ。そして、後に見るように、ここではとにかく、徒歩ではなく、車があるという事実自体が意味を持っている。

ボーは、小説のクライマックス付近で登場した、プロット上、欠かせないには違いないが、重要ではない脇役だ。この人物について、ここでくどくど説明するのは、プロットの流れを遅滞させるし、むしろ何か意味があるのだろうかと読者に勘ぐらせてしまう。

とはいえ、何らかの形で「ボー」という主語の中身を充塡しなければ、彼は空っぽの器のままだ。その社会的な属性についての説明が、ここでは、「待たせてある」「ロールスロイス」という記号にすべて委ねられているのだ。当然、自分で運転する「テスラ」が駐めてあったならば、彼の人物像は一変するだろう。

他方、クライヴについても、彼は、アムステルダムの「コンセルトヘボウ」で新作の初演が行われるような作曲家だということが、続く記述で示されている。大家の部類に入る作曲家だ、ということだが、そう地の文で書かれると、『若さなき若さ』で見た、「完璧なフランス語を話す教授」と同様に、作者の設定臭がしてしまう。

記号は、登場人物の口を借りるのと同様に、作品内の出来事として、主語化された登場人物を充填するが、いかにもという感じだと、読者の失笑を買ってしまう。実際、「ロールスロイス」にせよ、十分、いかにもな感じなのだが、作者の上手さは、そのいかにもな記号を選んだのが、語り手である作者ではなく、指揮者自身であるように感じさせるところだろう。読者はそれによって、「ロールスロイス」に乗るような人間というのを、またちょっといじわるに想像してみたりするのだ。

皮肉の中に響くもの

（これ以上梅毒病みのシューベルトを聴く必要があるのだろうか？）

「シューベルト」ももちろん記号だ。過去の巨匠という意味で選ばれているわけだが、オリヴィエ・メシアンでないのはもちろん、バッハやモーツァルトでもない、というところは押さえておこう。しかも、いまだに人気が衰えず、「夕方のコンサート」には客をゾロゾロ集めてくる。その中で、出来上がったばかりの作品の失敗に肩を落としてたたずむ現代作曲家というのが、ここでの風景だ。

香辛料のひとつとして、ニヤッと笑って読み飛ばしてしまいそうだが、ここでも巧みに、複雑な情報が圧縮されている。そのことを見落とすと、続く車内での場面が、まったく生きてこないことになるので要注意だ。

クライヴは、どうしてここで「シューベルト」を「梅毒病み」と貶(けな)さなければならないのだろう？　気が動転して、ムカムカしているからか？　確かに、この一文の下品さに意味はあるが、それだけでは、全体として生きてこない。シューベルトが過大評価されていると考えているからか？　そうかもしれないが、だったらなぜ、あえて「梅毒病み」という言葉で貶められているのだろう？　偉大な巨匠と崇め奉られているが、本当は梅毒だったと言いたいのか？　そう言われても、コンサートに行く人たちは、「梅毒だろうとなかろうと、音楽が素晴らしければ関係ないでしょう？」と尤もな反論をするに違いない。

こう問いを変えてみよう。クライヴは、誰を貶そうとしているのか？　シューベルトか？　もちろん違う。彼が貶そうとしているのは、シューベルトを聴きに行こうとしている人々だ。

シューベルトは、腸チフスで死んだことになっているが、梅毒であったことは事実らしい。しかし、そのことを知っている人はどのくらいいるだろうか？　クラシック・ファンならば、ちょっとした知識として、長いファン歴のどこかで耳にしたことがあるだろうが、一般にはほとんど知られていない事実だ。クライヴが拘っているのは、そこだ。

今、彼の傍ら(かたわ)を過ぎてコンサートに向かう人たちは、大半がシューベルトのファンではない。ただ、クラシックを聴きたいと思って、シューベルトなら名前を知っている、あるいはちょっと聴いたことがあるから、チケットを買ったというに過ぎない。なぜそんなことが言えるのかといえば、コンサートでシューベルトが選ばれる理由が、まさにそうだからだ。

クライヴがあえて、「梅毒病みのシューベルト」というのは、会場に足を運ぶ人たちのほとんどがその事実を知らないと思っているからだ。なぜ知らないかと言えば、そもそも音楽に大して興味がなく、要するに音楽のことを何も知らない人たちだからだ。だから、彼らは当然、クライヴにも気がつかないし、話しかけようともしない。音楽雑誌を毎月買っているような人なら、当然顔くらい知っているはずだ。池袋の東京芸術劇場に『第九』を聴きに行く人たちが、入口のあたりでボーッとしているグスターボ・ドゥダメルに、全然気がつかないような光景を想像してみよう。

クラシック業界は、当然、コアな音楽ファンだけでなく、そういう人たちをも巻き込んでこそビジネスとして成立している。クライヴは、そんなことも理解できない、青臭い音楽家なのか？　音楽はただ、豊かな鑑賞能力を備えた、熱烈な愛好者だけが聴くべきものだと？　コンセルトヘボウで新作の初演ができるほど、この業界に長くいて、成功している人間としては、あり得ないことだ。

クライヴは、クラシックを聴く人の大半が、マニアでも何でもないことを百も承知している。その上で今、彼らを、何も分かってない連中だと心の中で嘲（あざけ）ってみざるをえない。なぜだろう？　自分の新作を、彼らが酷評することを知っているからだ。最大限、慎（つつし）み深く言っても、「分からない」という感想だろう。

この「梅毒病みのシューベルト」という一言には、こうしたクライヴの不安な気持ちが表現されている。こう読まなければ、次の車中の場面が生きてこないのだ。

場面の折り畳み方の上手さ

ここで取り上げた場面では、前半と後半とがきれいに分けられる。今見てきたのが前半だ。新作の失敗を自覚し、呆然(ぼうぜん)としている。後半に移る前に、一点確認しておこう。

変奏の欠如によって一世一代の傑作が台なしにされたのであって、いまやクライヴは前よりもさらに（前よりも上の段階がありうるとしてだが）計画について頭がはっきりしてきた。

何の説明もなく「計画」という言葉が出てくる。読者は「何だ？」と感じるだろうが、その述語は、小説のクライマックスで回収される。まったくぶっきらぼうな挿入だが、どうも彼が何事かを企んでいるらしいことが、読者に仄(ほの)めかされ、「知りたい」という欲求が、最後にもう一押しされている格好だ。

それを挟んで後半部分だ。


欠点は分かっていても、クライヴは大指揮者に交響曲を絶賛で祝福してもらいたくて、探るように質問をした。

「全体としてちゃんとまとまっていると思う？　つまり、構造として」

ジュリオは手を伸ばしてガラスの仕切りを閉め、運転手に話が聞こえないようにした。

「大丈夫、すべてよしだ。ただここだけの話……」ジュリオは声をひそめた。

「第二オーボエの若い子ね、きれいだけど演奏はどうも。ま、あの子のパートは難しくないんで助かった。とにかくきれいだね。今晩ディナーの約束をしたよ」


さて、前半で、コンサートに行く人たちにこだわった理由が分かっただろうか？

彼らは要するに、音楽のことをまるで分かっていない人たちであり、コンサートに徒歩で行く庶民で、自分のことなどまったく知らず、しかも今度の新作を酷評するに決まっている人たちだ。この不安を慰めるために、クライヴは、「大指揮者に交響曲を絶賛で祝福してもらいたくて、探るように質問」するのだ。

「シューベルト」のコンサートに「歩い」て行く無知な「群衆」は、「ロールスロイス」に乗る、音楽を知り尽くし、クライヴのことも認めている一人の「大指揮者」と完全に対照的な存在として描かれている。だからこそ、ここで彼は、ボーに新作を誉めてもらわなければならないのだ。

クライヴの質問の取って付けたような「つまり、構造として」は、「専門家として」の意見を聴きたいということだ。彼の自信のなさを端的に表していて、読者をくすりとさせるだろう。

これに対するボーの答えがまた凝っている。

「大指揮者」である彼は、当然のことながら、クライヴの新作が失敗していることを知っている。その上で、彼の応対は、いかにも、そういうことに慣れているといった、まさしく「大指揮者」らしい態度だ。

まず彼は、運転手との間にあるガラスの仕切りを閉めて、話が聞こえないようにする。

読者は当然、「何かネガティヴな評価をくだすのでは」と主人公と不安を共有する。しかし、巧みにその予想を裏切って、いったんは社交辞令で応じる。が、もう一度、「ただここだけの話……」と言いかけることによって、読者はまたしても、クライヴとともに、続く述語に注意を引きつけられる。そうして語られるのが、オーケストラの女の子とのディナーの約束である。

ボーが急に、デートの話などし出したのは、なぜだろうか？　当然、話を逸(そ)らして、ネガティヴな評価を口にしないためだ。しかしそれでは、あんまり野暮というものだろう。良くないとストレートに言っているようなものだ。そこで、あえて下世話な話をして、「大指揮者」となった今や、自分もそうした気楽な態度で音楽に接している、思いつめるなということを仄めかしているのだ。

ボーがそう考えているのは、最後の「若き日の創造力。取り戻そうとしても難しいだろう、ええ、マエストロ？」という軽口からも確認できる。しかし、この念押しの滑稽さは、あえてネガティヴなことを言うべきではないと自制しつつも、失敗作だとは気づいていると、伝えずにはいられないボーの自尊心の表れ方だ。

作者の上手さは、何と言っても、場面の折り畳み方だ。展開して書けば、これだけの膨らみが出てしまう場面を、クライマックスに向けての流れを邪魔しないように、非常に手際良く折り畳んで、まとめあげてみせている。

いかにもさり気なく仕上げられているので、意識せずに読んでしまいそうだが、「小さく説く」ための極めてテクニカルな処理のあとがうかがえる。

全篇にわたって、こうしたワザがちりばめられており、印象としては、AOR（adult oriented rock）ならぬAON（adult oriented novel）という感じだ。もちろん、こうした表現が成立するのは、読者の読解力があってこそだ。

『恋空』 美嘉

メディアワークス文庫
『新装版 恋空―切ナイ恋物語―(上)(中)(下)』

読む前に

続いては、二〇〇六年に爆発的なブームを巻き起こしたケータイ小説『恋空』だ。

携帯サイト〈魔法のiらんど〉で累計一二〇〇万以上のアクセスを記録し、その後書籍化されるなど、二〇二一年十一月時点ではシリーズ累計七三〇万部以上と売れに売れた小説で、映画化、ドラマ化もされて話題になった。

主人公美嘉(みか)とヒロとの恋愛を中心に、ドラッグやレイプ、妊娠中絶、ガンなど、実話に基づくとされる様々な内容が盛り込まれている。

元々は横書きの作品であり、そのこと自体が、ケータイ小説として重要な意味を持つと思うが、現在刊行されている『新装版 恋空』は縦書きであり、ここでの引用はそれに従った。

作品

家に着き、勇気を出して電話をかけてみた。しかし電話は予想通りつながらない。
電話に出ないならメールしかない。
メールはもう送らないつもりだったけど、手が自然に動いて止まらなかった。
今日ノゾムから聞いた話をすべて書いてヒロに送信する。
♪ピロリンピロリン♪
メール受信：ヒロ
ヒロからはすぐに返事が来た。震える手で受信BOXを開く。

《ゴメン、ワカレヨウ》

PHSを持っている手がさらに激しく震え、胸がドクンと高鳴る。

どうしても声が聞きたくて、ヒロに電話をかけた。

『留守番電話サービスです』

メールを返してくれたって事は、電話にも出れるはずだよね。

どうして出てくれないの?? 仕方なくメールを返す。

《ナンデ??》

ヒロからは一分も経たずに返事が来た。

《クルシイ》

ヒロ、メールだけじゃ何もわからないよ。気持ちも言いたい事も伝わってこない。

何度電話をかけてもずっと留守番電話のままなので、美嘉は連絡を取ることをあきらめた。

明日ヒロの教室まで会いにいく。会ってちゃんと話をしたいから。

♪プルルルルルル♪

その日の夜中の二時に鳴った突然の電話。

美嘉は寝ぼけ半分で出た。

『ふぁい……もしもし』

『俺だけど……』

『……ヒロ!!』

待ち望んでいた電話が来た。

『おう。今窓から顔出せるか？』

布団から出て窓を開けると、そこにはヒロが立っている。

「ヒロ……どうしたの?? こんな時間に……」

少し寂しげに微笑んで、美嘉の寝ぐせをそっと触るヒロ。

「突然話したくなって……今話せるか？」

「……家抜け出してそっちに行くからっ!!」

静かに玄関から外に出て、ヒロの元へ走った。外は静まり返っていて車の音さえ聞こえない。

「こんな時間にごめんな」

「美嘉ね、ヒロにちゃんと説明したくて……」

「説明しなくてもわかってる。ノゾムから全部聞いたし、俺、美嘉の事信じてっから。誤解してごめんな」

せき込みながら話すヒロの声が静まり返った空間に響き渡る。

「ずっと考えてた。俺、美嘉がほかの男とキスしたのマジで悲しかった。だから別れたら楽になると思った。でも赤ちゃんの写真見て……俺、美嘉の事すげー好きだし、やっぱり別れたくねぇよ」

美嘉はヒロの手を強く握りしめる。

「美嘉も別れたくないよ……ごめんなさい」

ヒロは美嘉の唇を冷たい指先でなぞった。

「……何回された？」

「えっ??」

「ノゾムに何回キスされた？」

「たぶん三回くらいかな……」

「じゃあ俺はその十倍の三十回するから」

ヒロはそう言って本当に三十回キスをすると、ゆっくり唇を離し美嘉の頭を自分の胸へと押しつけた。

「もう俺以外とはすんなよ？」

「……絶対しないよ」

美嘉はヒロのあったかい胸の中で涙があふれそうなのを必死でこらえた。


美嘉『新装版 恋空―切ナイ恋物語―（上）』（メディアワークス文庫）

文体の特徴

ケータイ小説を初めて読むという人も多いと思うが、印象はどうだろうか？　予想通りの拒絶反応を抱いた人もいるかもしれないし、意外と抵抗がないという人もいるかもしれない。

作者の文体を以て、ケータイ小説全体の文体とすることはもちろんできないが、紙媒体で縦書きにした際に、文章が非常に短く、改行が多いのは、ケータイに親指で入力したため、またそのモニターが小さいためだということは言えるだろう。単行本では、横書きで上下巻で七〇〇ページ以上ものヴォリュームがある。

視点は、美嘉という主人公と一人称的に合致している。

文体の特徴として、形容詞、形容動詞、副詞といった修飾語が極端に少なく、また接続詞も省略されている。

一行ごとのテンポ感は、小説というより、マンガの一コマを思わせるところがある。

家に着き、勇気を出して電話をかけてみた。しかし電話は予想通りつながらない。

マンガなら、二、三コマだろう。一行ごとに、一コマずつ想像できる〈絵のないマンガ〉といった印象だ。

いずれにせよ、何らかの形で文壇にデビューした作家が、編集作業を経て本を出版するという従来のシステムからは流通し得なかった文体であり、面食らったような否定的な意見が多く聞かれたが、この文体だからこそ成功したコミュニケーション空間が、今の社会には存在するという事実は、誰にも否定できないだろう。

コミュニケーション偏重小説

『恋空』は、『蹴りたい背中』とほぼ同世代の高校生を主人公としているが、「美嘉」と「ヒロ」とを「ハツ」と「にな川」とに比較してみると、両者のあまりの違いに目を丸くするだろう。「今時の若者」という一括りが、いかに雑な言い回しであるかがよく分かる。

作品のプロットも文体も何もかもが異なっているが、メディア環境の変化を念頭に置きながら、同時代にこの二つの対照的な小説が出てきたことを考えてみることは有意義だと思う。

『蹴りたい背中』の登場人物たちが、まだ高校一年生だったというのとはまた別の理由で(?)、『恋空』の登場人物たちは、驚くほど勉強の話をせず、進路で悩んだり、受験勉強で苦しんだりする様子がない。時間軸には未来が存在せず、そのために、過去の整理は、常に現在と結ばれたところで「矢印」がストップしている。

そして、描かれるのは、ひたすらコミュニケーションのみであり、帰属意識を巡る『蹴りたい背中』の物語と比して、その過酷さはほとんどサヴァイヴァルの様相を呈している。

大人になって、仕事や趣味の比重が大きくなると、相対的にコミュニケーションの頻度は低下せざるを得ない。毎日友達や恋人に会っていては、やりたいこともできなくなってしまうし、それがストレスとも感じられるだろう。コミュニケーションから束の間(つかのま)遮断されることで、没入できる何かがある。

ところが、『恋空』の世界では、仕事や趣味の成果に期待されているような他者からの承認が、すべてコミュニケーションに担わされているため、友情や愛情が、過重な負担にずっと喘(あえ)いでいるような状態だ。

放課後の部活動を学校が推奨するのは、生徒の自由時間を管理する目的以外に、未熟なコミュニケーションへの負荷を軽減する意味もあるのだろう。

愛は常に身体に向かう

こうしたコミュニケーションの際限のない繰り返しの中で、重要な意味を担っているのが、ケータイというメディア（媒介）だ。

『恋空』では、二人の男女の関係の距離は、互いの身体からの遠近によって見事なまでのグラデーションを描き出している。

重要なのは、相手の身体という究極の情報源だ。次のページの図を見てもらいたい。

『恋空』に見るメディアとコミュニケーションの相関図

コミュニケーション手段 *1 ＼ 身体情報 *2	音信不通	メール	電話	対面	ボディコンタクト	セックス
言語による記号化	×	○	○	○	○	○(×?)
優しい声、怒鳴り声など(聴覚情報)	×	×	○	○	○	○
笑顔、イライラしたような仕草など(視覚情報)	×	×*3	×	○	○	○
香水の匂いなど(嗅覚情報)	×	×	×	○	○	○
ぬくもり、やわらかさなど(触覚情報)	×	×	×	×	○	○
レモンの味……?(味覚情報)	×	×	×	×	×	○(?)

＊1　いちばん左の項目「音信不通」からいちばん右の項目「セックス」まで、"情報量"は次第に多くなっており、"2人の関係"は次第に深くなっている。
＊2　いちばん上の項目「言語による記号化」からいちばん下の項目「レモンの味……?」まで、"身体の距離"と"2人の関係の距離"は次第に近くなっている。
＊3　ただし絵文字による記号化によってある程度は伝達することができる。

音信不通の状態からセックスによる合一に至るまで、美嘉とヒロとがひたすら往復し続けるのは、〈メール〉、〈電話〉、〈対面〉、〈ボディコンタクト〉という四段階のコミュニケーションだ。

スタートは、当然、互いに連絡を取り合わない状態だ。ここでは、相手に関する情報はゼロである。

そこから、〈ポケベルまたは携帯メール〉によって、言語記号を用いた情報交換が開始される。情報源としての身体は不在であり、これが最低レベルのコミュニケーションとなる。

次に関係がやや接近すると、〈電話〉へとコミュニケーションのレベルが格上げされる。ここでは、言語記号に加えて、声という相手の身体から発せられた感覚情報が初めてプラスされる。

更に関係の距離が狭まると、〈対面〉が可能となる。言語＋声に、表情などの視覚情報が加わる。ここで嗅覚情報も恐らく加わる。

そして、キスその他の〈ボディコンタクト〉では、言語＋声＋表情＋匂いに体温をはじめとする触覚情報が合流。最後に、この場面では描かれないが、〈セックス〉へと至って、互いの身体が「一つになる」ことにより、すべてのメディアが排除されて、愛の真実性が確認されることになる。関係の距離と身体の距離とは、ここでようやくゼロになる。

別れは、この完全な逆パターンで、〈セックス〉↓〈ボディコンタクト〉↓〈対面〉↓〈電話〉↓〈メール〉↓〈音信不通〉と、関係の薄れが、相手の身体から発せられる情報を、ひとつずつ減らしてゆく格好だ。

『蹴りたい背中』で話し言葉について考えた時にも触れたように、身体に由来する付帯情報が欠落してしまうと、誤解の余地はどうしても増えてしまう。ケータイは、二人を間断なく接続し続けているが、使用すればするほど、誤解も増やしてしまう両義的な道具として機能している。

メールのやりとりで誤解し、電話で話して、会ってキスをする。キスをして別れて、またしばらくの間はメールでやりとりをする。メールでのやりとりが続くと、再び誤解が生ずる。誤解を解くために電話で連絡して、直接会って話をし、身体を触れ合う。……

取り上げた場面を具体的に見てみよう。

♪ピロリンピロリン♪
メール受信：ヒロ
ヒロからはすぐに返事が来た。震える手で受信ＢＯＸを開く。

《ゴメン、ワカレヨウ》

ＰＨＳを持っている手がさらに激しく震え、胸がドクンと高鳴る。

どうしても声が聞きたくて、ヒロに電話をかけた。

『留守番電話サービスです』

メールを返してくれたって事は、電話にも出れるはずだよね。

どうして出てくれないの?? 仕方なくメールを返す。

《ナンデ??》

ナンデだろう? 「ワカレヨウ」と考えているヒロは、メールを通じて、言語記号のやりとりをすることは構わないが、声のトーンなどから、知らせなくてもいい余計なことまで知らせてしまう身体情報のやりとりはしたくないのだ。一方、美嘉は、音信不通↓メールという関係の接近の手順を踏んで、「声が聞きたく」なる、つまり、身体情報が加味されたもうひとつ先のコミュニケーションへと進もうとしている。

声も聞きたくない、顔も見たくないというのは、慣用的な表現だが、その際に私たちが経験しているのも、実は、どの程度の身体情報を相手と交換するかという判断なのだ。

電話で話すよりも、会って話すほうが、当然相手に与える情報は多くなるし、受け取る情報も多くなる。

私たちは、たとえば、仕事の依頼を、メールでならば簡単に断ることができるが、電話となると、途端に断りづらくなってしまう。それは、声というものが、どういう理由で断りたいか、断りづらいと感じているかどうかといった必要以上の情報まで相手に与えてしまうからだ。

ヒロからは一分もたたずに返事が来た。

《クルシイ》

ヒロ、メールだけじゃ何もわからないよ。気持ちも言いたい事も伝わってこない。

美嘉は、十分に〈書き言葉〉化されないまま、メディアに乗ってしまった〈話し言葉〉が、表情や声のトーンといった付帯情報の欠落のせいで、コミュニケーションに誤解を生じさせることを理解している。『辻』で考えたことを思い出してみよう。

何度電話をかけてもずっと留守番電話のままなので、美嘉は連絡を取ることをあきらめた。

明日ヒロの教室まで会いにいく。会ってちゃんと話をしたいから。

情報学的な観点で見れば、これは、情報源としての身体から発している情報を収集して、未熟な〈書き言葉〉の欠落を補完するためだ。この過程は、一見、まるで無関係のようだが、『ゴールデンスランバー』で見た、「主人公が疑問を持つ→推測により仮の答えを出す→情報をもらう→答えを修正する、新しい推測」という道筋と同じであり、読者は、「クルシイ」というヒロの謎の言葉を、美嘉と共に述語によって充塡しようと、読み進めていく。

このあと、ヒロからの電話で、事態は急転する。深夜になって彼のほうから会いに来る箇所だ。

「美嘉ね、ヒロにちゃんと説明したくて……」

「説明しなくてもわかってる。ノゾムから全部聞いたし、俺、美嘉の事信じてっから。誤解してごめんな」

せき込みながら話すヒロの声が静まり返った空間に響き渡る。

声という身体情報が的確に強調されている。

「ずっと考えてた。俺、美嘉がほかの男とキスしたのマジで悲しかった。だから別れたら楽になると思った。でも赤ちゃんの写真見て……俺、美嘉の事すげー好きだし、やっぱり別れたくねぇよ」
美嘉はヒロの手を強く握りしめる。

ボディコンタクトによって、聴覚＋視覚情報に触覚情報がプラスされる。

「美嘉も別れたくないよ……ごめんなさい」
ヒロは美嘉の唇を冷たい指先でなぞった。

ヒロはそう言って本当に三十回キスをすると、ゆっくり唇を離し美嘉の頭を自分の胸へと押しつけた。

セックスによる距離の完全なゼロを、ここでは「三十回のキス」が代わりに確認している。

この小説では、一貫して相手が何を考えているのかが分からないというコミュニケーション不全がテーマとなっている。〈主語化〉されたお互いを、述語によって充填しようとしながらしきれない。「ヒロは、……だ」という一文がいつまで経っても完成せず、その述語の模索がプロットを前進させることとなる。当然、最後には、その述語が読者に与えられて、これまでの謎が解決することになる。

当然これは、『幽霊たち』で見た、ブラックを見つめるブルーという他者像と他者の乖離という主題だ。

「ごめん」と「マジ」

コミュニケーションの不全をテーマとする『恋空』では、他の小説では見られないほど、「ごめん」という言葉が頻出する。これは無論、コミュニケーションの失敗の予防であり、反省を意味している。

「こんな時間にごめんな」(本来なら昼の時間に会いに行くべきなのに、夜中に会

いに行ってしまった）

「説明しなくてもわかってる。ノゾムから全部聞いたし、俺、美嘉の事信じてっから。誤解してごめんな」（美嘉がノゾムとキスをしたことについて、早まった誤解をしてしまった）

「美嘉も別れたくないよ……ごめんなさい」（過失とはいえ、自分もキスをしてしまった）

コミュニケーションへの過重期待のために、彼らは、その失敗に対して過敏に反省する。

また、「マジ」もヒロの口癖だ。合いの手や強調の表現ともなっているが、意味が完全に消失しているわけではない。相手が受け止めた言葉の意味と、自分の言わんとしていたこととの間に齟齬があると感じた時、「本気だ」と伝えるために、あるいは確認するために何度となく念押しされるのが、この「マジ」という言葉だ。

プロットの論理性

『恋空』の高校生たちの困難は、ポケベルから携帯メールへと、新しいメディアが出現し、進化していった世界の中で、十分に〈書き言葉〉化されていない〈話し言葉〉を付帯情報を欠いたままやりとりしてしまうために、しょっちゅう、お互いの間に、誤解を生じさせてしまっていることだ。そして、その誤解を解消するために、その都度、身体情報の確認に赴（おもむ）かなければならない。

プロットは、その情報源としてのヒロの身体が、死により永遠に失われてしまうという結末を準備し、更にそのコミュニケーションのカギであったケータイで小説を書くことにより、今度は、言語記号を介して無数の読者との間にコミュニケーションを開始するという展開を示して着地点に至る。そこで伝播してゆくのは、記号化された無数のヒロの身体だ。こうして見ると、極めて論理的で、骨太な構造を備えていると感じられるだろう。そこには、単なる社会学的な分析以上の文学的な批評の可能性が広がっていると私は思う。好き嫌いを含めて、評価を下すのは、最後のおまけのような作業ではないだろうか。

他作との比較ということで言えば、やはり『蹴りたい背中』と並べて読むことが効果的だろう。『蹴りたい背中』もまた、コミュニケーション偏重の高校生小説だったが、ハツとにな川は、メディアを挟まない対面コミュニケーションを基本とし、「蹴りたい」という最後の決定的な〈ボディコンタクト〉の衝動が主題となっている。

また、『髪』でも、愛する人間の死と距離とが主題化されており、メディアは、基本的に電話だけだという点に比較の面白さがあるだろう。いずれにおいても、メディアが大きな意味を持っているが、何かのテーマに着目するだけで、まったく異なるように見える小説の間に、意外な共通点が見えてくることがある。

その際に、私たちが慎重になるべきことは、その因果関係を設定したのは、飽くまで読者の頭の中にある理論的なフレームだということだ。作品が互いに影響関係を持っているかどうかというのは、また別の問題である。

フョードル・ドストエフスキー『罪と罰』

光文社古典新訳文庫
『罪と罰〈1〉〈2〉〈3〉』

読む前に

ドストエフスキーの『罪と罰』と『カラマーゾフの兄弟』は、世界の近代文学の傑作中の傑作で、そのどちらかは世界の十大小説に間違いなく入るだろう。後者は本書の「第1部　小説を読むための準備——基礎編」でも触れているので、文庫化にあたり『罪と罰』の解説を追加収録することにした。

『罪と罰』は一八六六年に書かれた作品で、ドストエフスキーが四十五歳の時に刊行された。これがいわゆる「後期五大小説」と呼ばれているうちの一作目で、その後『白痴』『悪霊』『未成年』『カラマーゾフの兄弟』と、次々に傑作を書き上げていった。

ドストエフスキーというと、あまりにも大きな存在で、どこからどう手を着けたらいいか分からないという人もいるだろうが、第1部で触れた「四つの質問」の「発達」について、ざっと確認するだけで、それならやっぱり、第一作目の『罪と罰』から読んでみようかという具合に目星がつくはずだ。五大小説はいずれも青年たちを描いているが、作者が中年から老年にかけての時期に執筆している、という事実も、頭に置いておくと良いだろう。

この小説の舞台となっているのは、クリミア戦争（一八五三〜五六年）に敗北し、ロシアが農奴解放した直後のペテルブルグ（現サンクトペテルブルグ）で、貧しい農奴が街に大量に押し寄せ、犯罪も増加していた時代だ。西洋的な自由主義とロシア正教に根差したスラヴ的価値観との激しい思想的、政治的対立があり、ニヒリズムも蔓延し、混乱と混沌に満ちていた。

日本では、亀山郁夫（かめやまいくお）さんの新訳（光文社古典新訳文庫・二〇〇八年刊）をきっかけとしてドストエフスキーの小説がブームとなったが、その一つの理由は、当時のペテルブルグの雰囲気に、冷戦終結とバブル崩壊を経験し、ネットの登場によって価値観が大きく変化しようとしていた日本社会と、どこか通じるところが感じられたからではないだろうか。

新型コロナウィルスのパンデミックで分断と対立が加速して格差が広がり、また、ロシアのウクライナ侵攻によって、EUと旧ソ連諸国、ロシアとの複雑な関係が再注目されるなど、『罪と罰』は、ドストエフスキー生誕二〇〇年を迎えた今こそ読むべき小説と言えるだろう。

小説の面白さは場面の描き方で決まる

ドストエフスキーは非常に深い思想性を持った作家であるため、難しい議論や主人公の自問自答が多いのが特徴だが、他方で劇的な展開があり、キャラクターも濃厚で、更に推理小説的な面白さも手伝って、最後まで読者を飽きさせない。

私自身、ドストエフスキーに強く魅了され、第三期の取り分け『決壊』には、その強い影響が看て取れると思う。

中でも特筆すべき魅力は、場面の描き方の巧みさだ。『罪と罰』ですぐ思い出すのは、英雄ナポレオンを具体例として、人類のために偉業を成し遂げるなら、非凡な人間は殺人を犯すことも肯定される、という思想を抱いた主人公のラスコーリニコフが、高利貸しの老婆とその妹まで殺してしまう場面だ。その後、ラスコーリニコフがポルフィーリーという刑事の追及を受けて丁々発止のやりとりをする場面も印象深い（この刑事は、『刑事コロンボ』のモデルと言われている）。

他にも、貧しい家族のために娼婦となったソーニャに、ラスコーリニコフが罪を告白する場面や、彼が大地に接吻する場面。どれも情景がありありと目に浮かぶ名場面だ。

小説は、プロットに沿って創られた物語の流れを辿ってゆくものだが、突き詰めて考えれば、それは場面の連続だ。つまり、いかに魅力的な場面が、アクセントをつけながら連なっているかが作家の腕の見せどころで、ドストエフスキーは、「ここそ！」という場面を、「名場面」として読者の脳裏に焼き付け、胸に刻みつけるように書くのが天才的に上手い作家である。

以前、私が所属している飯田橋文学会から、『名場面で味わう日本文学60選』という本を刊行したことがある。「名場面とは、一体、何だろうか？」と考える時、常に念頭にあるのはドストエフスキーの小説だ。

読者を同化させる身体的表現

たとえば、犯行を認め、シベリア流刑（るけい）となった後に、ラスコーリニコフが見た疫病（えきびょう）の夢を描いた次の場面を見てほしい。

作品

全世界が、ある、怖ろしい、見たことも聞いたこともない疫病の生贄（いけにえ）となる運命にあった。疫病は、アジアの奥地からヨーロッパへ広がっていった。ごく少数の選ばれた人々をのぞいて、だれもが死ななければならなかった。出現したのは新しい寄生虫の一種で、人体にとりつく顕微鏡レベルの微生物だった。しかもこの微生物は、知恵と意志とをさずかった霊的な存在だった。この疫病にかかった人々は、たちまち悪魔に憑(つ)かれたように気を狂わせていった。そしてそれに感染した者たちは、病気にかかる前にはおよそ考えられもしなかった強烈な自信をもって、自分はきわめて賢く、自分の信念はぜったいに正しいと思いこむのだった。人々が、自分の判断、自分の学術上の結論、モラルにかんする信念、そして信仰を、これほどまで確信したことはかつてなかった。いくつもの村、いくつもの町、そして人間が、これに感染し、気を狂わせていった。だれもが不安にかられ、おたがいに理解しあえず、それぞれが、ただ自分こそは真理の担(にな)い手と思いこみ、他人を見てはもがき苦しみ、胸をたたき、泣きわめき、両手をもみしだくのだった。だれをどう裁くべきかもわからなければ、何が悪で何が善か区別できず、折りあいすらつけられなかった。だれを無罪とし、だれを有罪とするかもわからなかった。

フョードル・ドストエフスキー『罪と罰〈3〉』(亀山郁夫訳・光文社古典新訳文庫)

この場面は、恐ろしいほどの想像力で描かれていて、コロナ禍を経験した私たちが読むと、ゾッとするほど、そのリアリティが身に迫ってくる。特に私が注目したのは、

「だれもが不安にかられ、おたがいに理解しあえず、それぞれが、ただ自分こそは真理の担い手と思いこみ、他人を見てはもがき苦しみ、胸をたたき、泣きわめき、両手をもみしだくのだった。」

という一文だ。ドストエフスキーの小説には、感情に伴う身体の反応の描写が非常に多い。ここでも「胸をたたく」「両手をもみしだく」というのは、コミュニケーションの中で、論理的に必要とされるようなジェスチャーとはまったく違う。

しかし、なぜ自分の正しさが通じないのか?と、歯噛(はが)みして苦しみながら「ドン

ッ、ドンッ、」と胸をたたく様子や、堪えきれずに手をもみしだいている痛ましい姿からは、彼らの絶望的な心情が強烈に伝わってくる。まるで本当に自分がその場でその状況を経験したかのような迫力である。

私自身、ドストエフスキーの文体を分析して、その技巧を学ぼうとした時、このような身体的反応の描写がとても多いことに気がついた。

ラスコーリニコフがソーニャに罪を告白してとがめられる場面でも、ソーニャが「とつぜん刺しつらぬかれたように、びくりと体をふるわせてひと声叫ぶ」（P130）とか、ラスコーリニコフが「両の手のひらで頭をぎりぎりしめつけだした」（P152）といった表現があり、言葉で説明する以上に身体に響いてくる力がある。

これはある種の魔術的な効果を持っている。私は、『決壊』を書く時に意識的にこの技法を導入したのだが、読者の反応を見る限り、その効果は予期した以上だった。登場人物が苦悩している場面で、歯ぎしりしたり、手が震えたり、ヒステリックに拳（こぶし）を握ったり開いたり、といった自分ではコントロールできない反応を丹念に描写してゆくと、読者は身体的に同化しすぎて、苦しくなってしまうのである。

なぜそうなってしまうのだろうか？

登場人物の心情に、心理分析的な言葉だけでなく、身体反応を通じてアプローチしてゆくと、おそらく理性や意識のレベルよりもっと深いところで、その人物に同化していく作用が生じるのだろう。しかも、それはポジティブな場面よりも、イライラしている時や苦しんでいる時など、ネガティブな場面のほうが効果的であるらしい。ミハイル・バフチンの有名なドストエフスキー論である『ドストエフスキーの詩学』では、この「イライラ」に、登場人物に思わず「本音」を語らせてしまう効果が指摘されている。この本は、ドストエフスキーの小説に響く複数の声に着目した「ポリフォニー」理論の提唱でも知られているが、これらは、「四つの質問」のメカニズムに着目した読解と言えるだろう。

なぜその人物が魅力的なのか考えながら読む

『罪と罰』には、取り上げたい場面が無数にあるのだが、ページ数に限りがあるため、ここではもう一つ、本筋からはやや逸れるものの、私が非常に好きな別の場面を紹介したい。ドストエフスキーの作品群の中でも、ひょっとすると、最も魅力的な登場人物かもしれないと私が考えるスヴィドリガイロフの最期の場面だ。

ちなみに、今まで『罪と罰』を読んだことがある人に、スヴィドリガイロフが一番好きだと言って共感を得られたことはほとんどないが、ただ一人、亀山郁夫さんだけは、この考えに賛同し、スヴィドリガイロフがいかに魅力的に描かれているかを力説してくれた。自分なりの読書の感想とは、しばしば孤独だが、この世界には必ずどこかに、同じ感想を持った人がいるもので、その出会いの喜びは、何にも代え難いものである。

スヴィドリガイロフは、ラスコーリニコフの美しい妹ドゥーニャが、兄の学費を稼ぐために家庭教師をしていた子どもの父親だ。ドゥーニャを好きになってしまったスヴィドリガイロフは、妻子ある身にも拘わらず彼女に求愛しはじめ、一緒にアメリカに行こうと駆け落ちを持ちかける。

そもそもスヴィドリガイロフは、多額の借金を肩代わりしてもらった代償として妻のマルファと結婚した、という変わった男だ。そのマルファに、ドゥーニャを口説いているところを目撃され、ドゥーニャのほうが夫を誘惑したと思い込んだマルファは、彼女を家から追い出してしまう。さらに村中にドゥーニャの酷い噂を流すのだが、スヴィドリガイロフはドゥーニャの汚名を晴らすために、自分から彼女を口説いたのだと正直に妻に告白する。

その後、マルファは不審死で亡くなり、スヴィドリガイロフが殺したのではないかと噂されるが、彼は妻がお酒を飲んだあと入水して脳溢血で死んだのだと説明する。しかも彼はラスコーリニコフに、妻とは一度も喧嘩をしたことがなく円満に暮らしていて、二度ほど鞭を使ったSMプレイのようなことまでしてやったと、話して聞かせるのである。

そのように、淫蕩な雰囲気を醸し出し、まったく常識外れのように見えるスヴィドリガイロフは、もともと貴族あがりで、妻の遺産以外に何も持たない典型的なニヒリストとして描かれている。しかし、彼のドゥーニャから愛されたい、という想いだけは、屈折を重ねながらも切実なものである。

前置きが長くなったが、スヴィドリガイロフが孤独の中で自殺するのは次の場面だ。

作品

《ひと晩じゅう、悪夢にうなされつづけてたってわけか！》いまわしい思いで起きあがった。全身をたたきのめされたような感じで、体じゅうの骨がぎしぎしと痛んだ。窓の外はあたりにたちこめる霧で、何も見わけがつかなかった。五時になろうとしていた、寝すごしたぞ！　すっかり起きだした彼は、湿っぽさののこる上着とコートをはおった。ポケットのピストルを手さぐりで取りだし、雷管を調整した。それから腰を下ろすと、ポケットの手帳をとりだし、いちばん目につきやすい一ページめに、大きな文字で二、三行、文章を書きつけた。それを読みかえすと、テーブルに肘をつき、しばらく考えにふけった。ピストルと手帳が肘のすぐそばに並んでいた。目をさました何匹かのハエが、同じテーブルにある手つかずの仔牛の肉にむらがりはじめた。しばらくそのハエを見ていたが、やがて空いている右手でそのうちの一匹をつかまえにかかった。長いあいだためしてみたものの、なんとしてもつかまらなかった。やがてふと、たわいのないことに夢中になっている自分に気づいて身じろぎし、立ちあがった。そして、毅然とした様子で部屋を後にした。それから一分後、彼は通りに立っていた。

ミルクを流したような濃い霧が町をおおっていた。スヴィドリガイロフは、板切れを敷いた薄ぎたなくすべりやすい歩道を、小ネヴァ川めざして歩きはじめた。一夜のうちに水かさの増した川の流れがぼんやりと目に浮かび、つづいてペトロフスキー島や濡れた小道、濡れた草、濡れた木立と茂み、そして最後にあの茂みが浮かんでは消えていった……なにか別のことを考えようとして、いらだたしげにあたりの家並みに目を向けた。通りでは人っこひとり、一台の馬車にも出くわさなかった。けばけばしい黄色に塗った木造の家がつづいていた。どれもが固く鎧戸（よろいど）をおろしていたが、いかにもわびしげで、薄ぎたなく見えた。寒さと湿気が体じゅうにしみわたり、悪寒がはじまった。雑貨店や八百屋の看板が目にとまるたび、ひとつひとつをていねいに読みあげていった。だが、板切れを敷いた歩道もすでにとぎれて、大きな石造りの家の前にさしかかった。凍（こご）えきった泥まみれの小犬が、尻尾を巻いたまま目の前を横切った。正体もなく酔っぱらった男がひとり、コートにくるまったまま、歩道をさえぎるように突っぷしていた。その酔っぱらいをちらりと見やると、彼はそのままさらに歩いていった。左手に高い望楼が見えた。
《あれだ！》と彼は思った。《あの場所がうってつけだ。なぜ、ペトロフスキー島にこだわる必要がある？　少なくとも公的な証人がいるじゃないか……》
新しいこのアイデアに思わず苦笑しながら、＊＊通りのほうに曲がった。そこには、望楼のある大きな建物がたっていた。閉めきった大きな門のそばに、灰色の兵隊外套を着こみ、アキレスふうの銅のヘルメットをかぶった小男が立っていた。男は、いかにも眠たそうな目で、近づいてくるスヴィドリガイロフをひややかに横目で見やった。その顔には、永遠に刻みこまれた鬱屈した悲哀が見てとれた。それは、あらゆるユダヤ人の顔に例外なく刻まれている、あの苦々しい哀しみだった。スヴィドリガイロフとこのアキレスのふたりは、しばらく何も言わずに、たがいの顔を見つめあっていた。やがてアキレスは、べつに酔ってもいない男が、目の前わずか三歩のところに突っ立ち、こちらをじっとうかがったままひとことも口をきかずにいるのが許しがたいことのように思えてきた。

「あの、あなた、ここ、なんの用、あるか?」同じ姿勢を保ったまま、身じろぎひとつせずに彼は言った。

「べつになんでもないさ、きみ、元気かい!」スヴィドリガイロフは答えた。

「ここ、そんなとこじゃない」

「わたしはね、きみ、よその国へ行くんですよ」

「よその国?」

「アメリカにね」

「アメリカに?」

スヴィドリガイロフはピストルを取りだし、撃鉄を上げた。アキレスは、眉をつりあげた。

「あの、なにする、そんな冗談、ここ、そんなとこじゃない!」

「でも、どうしてそんなとこじゃないいんだい?」

「そんなとこじゃない、から」

「いや、きみ、どうでもいいことなんだ。けっこうな場所じゃないか。あとで聞かれたら、こう答えるんだよ、この人、アメリカ、行きました、ってね」

彼はピストルを右のこめかみにぴたりと当てた。

「あ、ここ、だめです、ここ、そんなとこじゃないです!」アキレスはますます目を大きく見開きながら身ぶるいした。

スヴィドリガイロフは引き金を引いた。

フョードル・ドストエフスキー『罪と罰〈3〉』(亀山郁夫訳・光文社古典新訳文庫)

この前の場面で、スヴィドリガイロフは、殺人の罪を負う兄のラスコーリニコフを救い出すことを条件に、ドゥーニャを脅迫して関係を迫る。しかし、ドゥーニャははっきりと拒絶の態度を示し、スヴィドリガイロフに隠し持っていたピストルの銃口を向ける。

「撃ってみなさい」と告げるスヴィドリガイロフに、ドゥーニャは物怖じもせず銃を撃ち、弾がこめかみをかする。スヴィドリガイロフは、力尽くでドゥーニャに関係を強いることもできたはずだが、彼が求めていたのは、あくまで彼女の愛であり、それはついに叶うことはなかった。

引用したのは、この二人の緊迫感あふれる対峙の後、ドゥーニャの愛を得られず絶望に打ちひしがれたスヴィドリガイロフが、夜の街を彷徨い、ネズミが這い回る薄汚い安宿で一晩を過ごした場面である。

「悪夢」や「ハエ」が意味するもの

彼がうなされていた悪夢には、五歳の少女が出てくる。

スヴィドリガイロフが泊まっているホテルの廊下で、その女の子はぐしょ濡(ぬ)れになった服を着てがたがた震えながら泣いていた。そこで女の子を抱えて自分の部屋に運び込んだスヴィドリガイロフは、濡れた服を脱がせて毛布でくるみ、介抱して寝かしつける。

それからすぐにホテルを出ようとしたものの、様子が気になってすやすや寝ている少女の元へ戻ると、目を見開いたその子の表情が、ウインクをして、自分を誘う娼婦のような顔に豹変(ひょうへん)してしまう。

スヴィドリガイロフは、「なんてことだ！　まだ五歳のくせして！」とそのおぞましさに激昂(げきこう)し、少女に手を振り上げたところで目を覚ます。――淫蕩なニヒリストとして描かれている一方で、根本的にはモラリストであり、彼のこの世界に対する絶望が垣間見える場面で、それらが表裏をなし、得も言われぬ魅力となって表現されている。

ベッドから起き出したスヴィドリガイロフは、手帳に二、三行のメモを書きつける。ここでは何が書かれたか分からないのだが、あとになって村人が「自分は正気のまま死ぬのだから、この死についてはだれも責めないでもらいたい」と書かれていたと明かしている（P420）。これも、愛するドゥーニャに迷惑はかけたくないという想いからだろう。

ベッドから起き上がったスヴィドリガイロフは、テーブルに出しっぱなしにしていた仔牛の肉にむらがるハエを掴まえようと夢中になる。まったく意味のないものを必死に掴まえようとして掴まえられない姿は、彼の人生を象徴しているかのようである。

同時に、今から死ぬことを決意している人間が、つまらないことに夢中になってしまうのも、理屈ではなかなか説明できるものではないが、不思議な説得力がある描写でもある。

〈矢印〉という意味では、死へと突き進んでゆく手前の一種の停滞であり、ここでは、スヴィドリガイロフという主語を最後に充填する述語が充ち満ちている、ということができよう。

ホテルを出たあと、寒々しい通りを独り歩きはじめた彼は、誰とも会わず、一台の馬車にも出くわさない。仔犬や寝転がっている酔っ払いをちらりと見るだけである。

この情景描写がまた、なんとも言えず、スヴィドリガイロフの孤独の深さを感じさせる。風景の断片が主語化され、述語によってそれらが表現されるが、主語化するのはスヴィドリガイロフの眼差（まなざ）しであり、その見るという行為は、プロットを前進させるというより、やはり彼の心情を充填してゆくものである。苛立（いらだ）たしげにあたりの家並みに目を向けながら、雑貨屋や八百屋の看板を一つ一つ読みあげる彼の姿には、この世との惜別（せきべつ）が感じられるのと同時に、誰か、自分の存在と死を見届けてくれる「証人」はいないかと、探し求めているようでもある。その矛盾する感情を読み取りたい。

訳の違いから何を読み取るか?

死ぬ場所として向かった望楼のある大きな建物の前には、アキレスふうのヘルメットをかぶった小男が立っている。ホメーロスの『イリアス』の主人公であり、ギリシャ神話の屈指の英雄であるアキレスが、こんな小男に化けているかのようなチグハグさに、パロディとしての面白味がある。スヴィドリガイロフとのやりとりは、奇妙で寓話的である。

ピストルを取り出したスヴィドリガイロフに向かって、アキレスが言うのは、「そんなことしてはいけない」ではなく、「ここ、そんなとこじゃない」である。一人の人間として、彼の自殺を止めようというのではなく、場所が不適切だ、という注意である。ニヒリストのスヴィドリガイロフは、それに対して、「どうでもいいことなんだ。けっこうな場所じゃないか」と応じ、「あとで聞かれたら、こう答えるんだよ、この人、アメリカ、行きました、ってね」と言い放つ。「アメリカ」とは、最初に確認した通り、ドゥーニャと一緒に行きたいと夢見ていた場所であり、このつまらない世界から彼を解放してくれる場所の象徴であろう。

ドストエフスキーはボードレールと同い年だが、ボードレールにも「ANY WHERE OUT OF THE WORLD（この世の外ならどこにでも）」という詩があり、それを思い起こさせる場面でもある。

実は、私がはじめて読んだ『罪と罰』は、工藤精一郎（くどうせいいちろう）訳の新潮文庫版だった。そちらは、この場面の訳し方が少し異なっている。

先に引用した亀山訳のほうは、「ユダヤ人」とされる兵士の片言が強調されているが、工藤訳は、それがもう少し標準語に近く、もっと威圧的な兵士のような印象を受ける。

アキレスには、ついに、酔ってもいない男が、自分の三歩ばかりまえに突っ立って、ものも言わずしつこくじろじろ見ているのが、無礼に思われてきた。

「あ、ここにはなんの用があるんだね？」と彼はやはり身体も動かさず、姿勢も変えずに、言った。

「いや、別に、きみ、機嫌はどうだね！」とスヴィドリガイロフは答えた。

「ここは来るところじゃない」

「わたしはね、きみ、外国へ行くんだよ」

「外国へ？」

「アメリカだよ」

「アメリカ？」

スヴィドリガイロフは拳銃を出して、撃鉄を上げた。アキレスは目をつり上げた。

「あ、何をする、そんなもの、ここじゃいかん！」

「どうしてここじゃいかんのかね？」

「つまり、ここはそんな場所じゃないからだ」

「いや、きみ、そんなことはどうでもいいんだよ。いい場所じゃないか。もしきみが聞かれるようなことがあったら、アメリカへ行くと言ってた、とそう答えなさい」

彼は拳銃を自分の右のこめかみに当てた。

「あ、ここじゃいかん、ここは場所じゃない！」と、アキレスはますます大きく目を見ひらきながら、ふるえ上がった。

スヴィドリガイロフは引鉄(ひきがね)を引いた。


フョードル・ドストエフスキー『罪と罰〈下〉』（工藤精一郎訳・新潮文庫）

原文は、おそらくかなり片言のロシア語なのではないだろうか、と想像される。外国文学の場合、複数の翻訳があるならば、それを読み比べてみるのも楽しみの一つである。

アキレスとの会話の不成立は、スヴィドリガイロフの人生の象徴であるが、その意味では、亀山訳の片言の方が、最後にも結局、まともな死の「証人」を得られなかった物悲しさが強調されている、と言えるだろう。

場面が意味するのはその一瞬か？ 人生か？

絵画でも、肖像画がその人物のその時の表情を表しているのか、それともその人物の一生を表しているのか、と考えると、とても複雑な奥行きが見えてくる。

例えば、レンブラントが描いている老婆の絵をじっと見ていると、その時の老婆の表情なのか、その老婆の人生全体の象徴としての表情なのかと、豊かな混乱を生じさせる非常に巧みな技術が感じられる。

スヴィドリガイロフの最期に至る場面も、その場面自体の持っている意味と、やはり彼の人生を象徴している意味との両方が二重写しになっている点が大きな魅力だろう。

作者のドストエフスキーは、スヴィドリガイロフのような人物に、物語の中で、どういう始末をつけるべきか、かなり考えたはずである。小説の登場人物を印象的にしたいならば、その出入り――つまり、登場場面と退場場面――を工夫する、というのは、基本的な考え方である。そして、その退場場面が、物語全体の中でどのような意味を持つかで、その人物の重要さが分かる。更に、その退場のさせ方には、作者の思想が色濃く表れることとなる。

ラスコーリニコフとソーニャの関係は、希望を託すように描かれているが、それと対照的に、スヴィドリガイロフのドゥーニャへの片想いは、滑稽さと悲劇とが入り混じった結末となっている。そして、「スヴィドリガイロフ」という主語が率いた述語群、その問題性に対する始末の付け方と、愛着の示し方にこそ、ドストエフスキーの思想が表れている、と言えよう。

その意味でも、この小説は、「愛」が一つの大きなテーマになっている。

ソーニャはラスコーリニコフのために献身し、最後は、一種のハッピーエンドになるのだが、なぜ殺人犯をそこまで愛せるのか、よく分からないという読者もいるだろう。一方、スヴィドリガイロフは淫蕩でいやらしい男ではあるものの、結局、ラスコーリニコフのようには人を殺せない人間であり、歪（いびつ）ではあっても、ドゥーニャのことを真剣に愛している。それでも、ドゥーニャが彼のことをどうしても愛せない、というのも分かる気がするだろう。

愛には、突き詰めると理屈では説明できない、一握りの神秘のようなものがある。愛し愛された者にとって、その神秘は美しいが、愛されなかった者にとっては永遠の苦しみである。なぜ自分ではなかったのか？　その問いには、ある程度までは答えが出るだろうが、最後の最後には必ず「分からない」何かが残る。

実際、優しくて知性もお金もある男性から好かれている女性が、人間的にはどうしようもない別の男の方に惹かれてしまう、ということはあるし、それは性別を入れ替えても同じである。

そのような愛の不如意（ふにょい）についての思索も、この大作のポテンシャルだろう。

「分人」の比率を読む

では、ラスコーリニコフにとって、スヴィドリガイロフとは、どういう存在だったのか？

ドストエフスキーに影響を受けたトーマス・マンは、『魔の山』という小説の中で、主人公のハンス・カストルプという青年が、テロルを肯定する過激な思想家ナフタと、楽天的な「人文主義者」セテムブリーニの間で揺れ動いている様子を、「陣取り」と表現している。どちらの影響力が、ハンスの中で大きくなるのかを巡る「陣取り」合戦である。

この「陣取り」は、私の表現では、分人の構成比率をめぐる動揺ということになる。

分人主義的な人物描写が非常に上手いのは、どちらかというと、トルストイである。『アンナ・カレーニナ』では、カレーニンといる時、ヴロンスキーといる時、子どもたちといる時、兄のオブロンスキーといる時など、アンナのそれぞれの分人が、極めて巧みに描き分けられている。アンナが自殺に至るまで苦しんでゆく過程では、カレーニンの中の分人の構成比率の変化が大きい。では、アンナがバラバラの印象になるかというと、決してそうではなく、対人関係ごとに人格が変わるからこそ、人物像が立体的に伝わってくる。登場人物は多いが、更に一人ひとりの複数の分人の描き分けまでが精緻になされているからこそ、この小説はそれぞれの人間関係が際立ち、強い印象を残すのである。

それに対して、ドストエフスキーの小説は、個々の登場人物が一つの思想と一体化したものとして描かれることが多く、その典型は、『悪霊』であろう。キリーロフは誰といてもキリーロフであり、完全にイデオロギーと同化した主体として描かれている。

しかし、詳細に見ると、『罪と罰』では、ラスコーリニコフの中で、ソーニャといる時の分人と、スヴィドリガイロフといる時の分人とが、ずっとせめぎ合っている。それだけでなく、貧しい境遇の中で思索し続け、殺人にまで至った分人、ポルフィーリーと向き合っている時の分人などの描き分けがある。そして最終的には、ソーニャとの分人の比率が大きくなってゆくことで、自らの罪と向き合ってゆくこととなる。

つまり、『罪と罰』は、分人主義的に人間が更正していく過程を描いた小説としても読めるのである。

アポリア（解決できない難題）は何か？

ドストエフスキーの小説が、後世に多大な影響を及ぼす素晴らしい小説と評価されている理由は、どの作品にも、「アポリア」が含まれている点だろう。アポリアとは、哲学的には、一つの問いに対する答えとして相反する二つの見解が成立する場合を意味するが、一般的にどうしても解決できない難問のことだ。

　このアポリアがなければ、文学にはならないというのが、私の意見である。理屈で説明できる問題をテーマにすると、どんな物語を書いても簡単に割り切れてしまう。しかし、文学である必然は、解決できない問題に取り組むことができる、ということにあり、そのアポリアに向かって書き続けることで、言葉は熱を帯びていき、その熱が読者にも伝わってゆく。

　たとえば、ラスコーリニコフが例に挙げるナポレオンは、多くの人間を殺したにも拘わらず英雄視されている。だったら、世の中を進歩させるために、「しらみ」のような強欲な金貸しの老婆を殺したところで、何が悪いのか？　こうした理屈で罪を正当化するラスコーリニコフは、ある意味、非常に単純だが、しかし、彼のこの問いに読者は虚を衝かれるはずである。

　しかし、この単純なラスコーリニコフの思想だけで物語を書いてしまうと、やはり小説は陰影を欠いただろう。スヴィドリガイロフはそういう意味で、ラスコーリニコフとはまったく違うアポリアを抱えた矛盾の塊のような人物で、このニヒリズムの時代を生きる人々の人生を体現している。

名言と名場面がワンセットになっていることも、彼の魅力が際立つ理由の一つである。

たとえば、ラスコーリニコフが「来世なんてぼくは信じちゃいません」と言ったことに対し、スヴィドリガイロフは次のように答えている。

「でも、もし来世にあるのが蜘蛛（くも）の巣だけとか、何かそんな類のものだけだとしたら、どうです？」

「そこにちっぽけな部屋を想像してみたらどうです。田舎風の煤（すす）けた風呂場みたいなところで、隅から隅まで蜘蛛の巣が張っている。で、これこそが永遠っていうふうにね。わたしはですよ、そんなふうな光景が、ときどき目に浮かぶんです」

あの世が蜘蛛の巣の張った煤けた風呂場だと想像してみた人が、かつていただろうか？　一度読むと頭に染みついて離れない会話であり、小説家としては、一度はこういう台詞（せりふ）を書いてみたいという憧れを抱かせられる場面である。

平野啓一郎『本心』

文藝春秋
『本心』

読む前に

『小説の読み方』の四年前に刊行した『本の読み方　スローリーディングの実践』では、編集部の希望で拙書『葬送』を取り上げ、好評だったので、ここでは二〇二一年刊行の『本心』を扱ってみたい。

引用箇所は、物語の後半、クライマックスに向かう手前の一場面である。
登場人物は、主人公の石川朔也（いしかわさくや）と、朔也の亡くなった母親の友人だった三好彩花（みよしあやか）、車椅子（くるまいす）ユーザーで、アバター・デザイナーとして巨万の富を築いている青年イフィーだ。

貧しい母子家庭で育った二十九歳の朔也は、「自由死」（死の時期を自分で選ぶことのできる制度）を望んでいた母が事故で急逝した現実を受け容れられず、ヴァーチャル・フィギュア（VF）でその再生を試みる。三好は元セックスワーカーで、朔也の母親と同じ旅館で働いていて、母の死後に朔也と知り合っている。その後、台風で家が被災してしまった三好に、朔也は亡き母の部屋を使うように勧め、二人は同居を開始する。朔也は三好に密かな好意を寄せているが、恋愛関係にはない。

イフィーは、リアル・アバター（依頼主の分身となって、あらゆる要望を引き受け、代行する仕事）をしていた朔也のことを気に入り、専属契約を結んだ雇用主である。朔也が、イフィーに三好を紹介してから三人で会うことが増え、イフィーも三好のことを好きになっていく。

ある日、朔也と三好は、イフィーの誕生日プレゼントを買うため池袋で落ち合う約束をする。ところが、二人が会うことを知ったイフィーが、朔也をリアル・アバターとして同行したいと言い出した。その後の重要な一場面である。

「行こっか。」と三好は、僕にともイフィーにともつかず、言った。

イフィーが、どちらに向けての言葉と取ったのかはわからなかったが、彼はそれをきっかけに、これまで止めていた思いに押し切られたかのように、「彩花さん、」と声を発した。彼女に直接、呼びかけているかのようだった。

「これから、うちに来ませんか？　彩花さん一人で来てほしいんです。大事な話があります。」

僕は、聴き終えてからも、数秒間、黙っていたが、極力正確に、そのままを伝えた。

三好は一瞬、驚いた顔をしたが、人にぶつかりそうなのを避けながら、聞き間違いだろうかという風に、尋ね返す仕草をした。

もう一度、同じことを言うと、

「わたしだけ?」と怪訝そうに言った。

僕は、凡そ喜びとはほど遠いその表情を意外に感じ、まるで自分が間違ったことを口にしてしまったかのように、会話の行方を案じた。

イフィーの焦燥が、僕の全身に熱を広げてゆくのを感じた。僕は、余計な言葉を付さずに、ただ彼の言葉をそのまま伝えた。

「『はい。朔也さんとはもう話をしました。彩花さんと、二人だけで話がしたいんです。』」

「……でも、明日仕事も早いし、家に帰ってから連絡する。」

「『実際に会って話したいんです。仕事は、……今の仕事、気に入ってないんだったら、これを機に辞めたらどうですか? 僕の家に、一緒に住みませんか?』」

三好は、僕の顔をまじまじと見つめた。僕の心を推し量ろうとしていたのか、それとも、表れるはずもないイフィーの本心を読み取ろうとしていたのかは、わからなかった。

遠くの照明に、彼女は、顔の右半分だけを照らされていたが、その頬は微かに震えていた。

「駄目でしょう、イフィー、それは。」

三好の拒絶の態度は、ほとんど軽蔑を孕んだように明瞭だった。僕は、間に立って二人を執り成したい気持ちと、正直に言えば、何か密やかな、仄暗い喜びとを同時に感じていた。イフィーを見舞う大きな失意を危惧しながら、三好との生活がこの先も続くかもしれないことを期待した。

モニターに小さく映っているイフィーは、愕然とした面持ちで、言葉を失った。

そして、恐らくは彼自身も、もっと相応しい場所と時機のために取っておいたであろうその言葉を、切迫した、苦しげな高揚感の中で発した。

「僕は、彩花さんが好きなんです。本気なんです。——朔也さん、伝えてください。お願いします。」

僕は、何か重たいものにズボンのベルトを摑まれて、その場に引き倒されそうになっているような感じがした。それは、僕が今日まで、決して三好には言うまいと思い定め、その決心を守ってきた言葉だった。

僕は、言葉が僕の本心を伝えることを何よりも恐れ、そして同時に、強くそれを夢見た。そして、哀切な憤りに張り詰めた面持ちで、僕を見つめる三好に言った。

『僕は、彩花さんが好きなんです。本気なんです。』

暗がりの中で、人より余計に大きく開いた三好の目が、静かに赤く染まっていった。彼女は僕を、微動だにせず見ていた。――そう、その時には、彼女はイフィーではなく、確かに僕を見ていた。なぜなら、その眸には、そこはかとない憐れみの色が挿していたから。……

「――どうしてそんなことが言えるの？……」

三好は僕を見上げ、強張った首を傾けながら、今はもう、その震えを隠すこともなく問い返した。

イフィーの絶望は、僕の胸に金属的な熱を帯びたまま染み出し続けていた。

平野啓一郎『本心』(文藝春秋)

タイトルの意味を考えながら読む

小説を読む時、タイトルの意味はもちろん、重要だ。

タイトルは、作品の内向き、外向きの両方で機能しなければならない。既読の人向け、未読の人向けとも言える。読む人にとってだけ意味があればいいじゃないか、と思われるかもしれないが、どんな本でも、人類全体で見れば、未読の人の方が圧倒的に多く、しかもそのうちの何パーセントかは、タイトルと評判に惹かれて、やがて既読の人となるのである。

外向きに、この本が一体何であるのかを表現する力は重要であり、さもなくば書店で手に取ってもらうこともない。しかし、同時にやはり、内向きに、作品の全体を象徴する必要もある。

タイトルは、物語を深く読み解く手がかりであり、自分の読みの方向性を疑ってみるきっかけともなる。本作の場合、「本心とは何か？」という問いが、大きな〈矢印〉を持ったプロットの流れを辿りながら、常に脳裡をちらつくことが期待されている。それ故、読者は、登場人物の心の変化により一層、敏感になる。これは、いわばタイトルのメカニズムである。

少し裏話をすると、最初は、『心』というタイトルも候補として考えていた。夏目漱石の『こころ』という作品は誰もが知っており、重なることの短所と長所があるが、日常的な言葉でありながら、同時に文学作品のタイトルとしても馴染(なじ)みがある、というのは、効果的であるように思われた。

しかし、Amazonで「心」を検索してみると、心理学系の本が数多くヒットし、内容を誤解されるのではと懸念した。また、何かもう一つ足りないとも感じていたので、更に考えた末に、『本心』に落ち着くこととなった。

「心」は、漠然(ばくぜん)とした抽象的な言葉だが、「本心」は具体的な誰かと強く結びついた言葉であり、「知りたい」という感情を否応なく掻き立てる。「本心は知りたくない」という表現には、例外的な響きがあり、どうして?と訝られることだろう。
また、「本心」は、人間同士の感情のやりとりにおいて重要というだけでなく、ビジネスや契約、法律などにおいても重視される。私たちの社会では、基本的に当事者が「本心」から同意していることが是とされ、その事実に基づいてシステムが設計・運用されているので、もしその「本心」がそれほど確かなものではなく、他者には知ることができないものだということになれば、社会そのものの足場がぐらついてしまうことになる。つまり、私的な関係から公的な空間に至るまで、幅広く問い直す可能性を持った言葉が「本心」であり、それが、私が書こうとしていた小説のタイトルとしては、ピッタリであると感じられたのだった。

引用した場面は、まさに、登場人物の本心に迫るシーンだ。朔也と三好、そしてイフィーの複雑な三角関係が凝縮された場面で、物語の大きな読みどころでもある。この時、朔也やイフィーが、本当のところどういう気持ちなのかは、読み方によって解釈が分かれるところだろう。

この場面は、物語を構想しはじめた最初の頃に思い浮かんでいた。

朔也は、「リアル・アバター」という一種の代行業者として働いている。依頼主に自分の体を自由に使わせ、その指示通りに動くので、普段は自分の「本心」とは関係なく、依頼主の意思に忠実に行動している。つまり朔也は、イフィーの代理として三好と会うことになるわけだが、三好には好意を寄せている。

一方、三好は、セックスワーカーとして働いていた時のトラウマからセックス恐怖症になり、朔也と同居をはじめた際にも、付き合うことはできないとはっきりと告げている。朔也はその約束を守るため自分を抑制してはいるものの、やはりどこかで想いを伝えたい気持ちもある。

しかし朔也は、イフィーが三好のことを好きだと知ってから、貧しい三好がお金持ちのイフィーの想いを受け容れたほうが幸せになれるはずだと考えはじめている。イフィーのリアル・アバターとして、図らずも彼の想いを三好に伝えることとなった朔也は、しかし、その言葉に、自分の彼女に対する想いも忍び込ませたいという願望を抱き、密かに葛藤（かっとう）している。

三好は、朔也とイフィーの気持ちを察しているので、あえて朔也を介して自分の想いを伝えようとするイフィーに腹を立てているようにも見える。


イフィーにとっては、自分の好きな女性が、別の男性と、交際していないとはいえ同居しているというのは心穏やかではなく、朔也は一種のライバル的存在である。しかし、同時に彼は朔也を「兄」のように慕（した）ってもいる。この場面の直前、イフィーは朔也本人に三好との関係を確認し、「(三好とは) ただのルームメイトです」という言葉を聞き出している。しかし、二人の「本心」は読者の想像に委ねられた状態だ。

私は、イフィーを快活で意欲的な青年として描いているが、あえて朔也を介して自分の想いを三好に伝えたこの場面では、彼という人間の複雑さを表現したかった。

状況や相手によって本音を言うか言わないかが変わってしまうということは、誰しも経験があるだろう。本心を打ち明けるかどうかは、相手との信頼関係によって変わる。私は、「自分を曝け出せ」といった話が嫌いだが、それは、信頼できない相手に本心を伝えれば、つけ込まれて不利な立場に追い込まれる危惧があるからである。

性的マイノリティが、自分のセクシュアリティについて、誰にカミングアウトをするかは、本人の判断であり、他人が勝手にそれを暴露してしまうことは、「アウティング」として厳しく批判されている。社会学者のゴッフマンは、人がコミュニケーションの中で自分の良い点を表現しようとし、悪い点でなくてもスティグマ化されてしまうような点を隠そうとすることを「印象操作」と呼んでいる。昨今では、政治家が、メディアの「偏向報道」を批判する際によくこの言葉を使用しているが、それとは別の意味である。

人は相手によってどこまで何を話すかを区別していて、結果、相手ごとに自分の考えや感じ方も変化する。

そのように自分の中に矛盾が生じた時、「どっちが本心なんだ?」と突き詰めようとしがちだが、相手と状況によってどちらも本心である、ということはあり得るはずである。

矛盾する感情が心に同居している状態も、その人の本心であり、対人関係や日々の生活のなかで刻々と変化していくのもまた本心である。

それは、本作の重要なテーマだった。

登場人物の「共通項」に投影されたテーマ

小説の世界観は、登場人物たちに否応なく、共通点を課すことがある。その世界に生きているからには、自ずと条件として備えてしまう、という属性である。

『本心』の場合、その共通点は、「代理」という考え方である。

朔也は、亡くなった母親とそっくりのVFをネット上に作り、それを母親の代理として孤独を埋めようとしている。

朔也自身も、リアル・アバターとして顧客の依頼に応じて仕事している代理役だ。元セックスワーカーだった三好は、好きな人と結ばれたくても叶わない人、性的関係のパートナーがいない人たちに対して、肉体的な代理としての役割を求められていた。

イフィーがデザインしているアバターも、フィジカルな世界で生きるユーザーのネット上での代理である。

そして、本作の登場人物にとってだけでなく、人が生きていくうえで最も大きな役割を果たしている「代理」とは、「言葉」である。私たちが心の内を表現する時、「言葉」は本心を代理するメディアとなる。

そういう意味で、今回とりあげた登場人物の本心が問われる場面では、言葉の代理性が圧縮されて表現されている。一体、言葉は本心を本当に伝えてくれるものなのか？

もし、言葉が人の本心の代理であるならば、言葉で綴られた小説も、ある意味では作家の想像した世界の代理と言える。しかし、言葉自体は無色透明な器ではなく、そもそも社会的に構築されてきた意味の代理であり、作家の想像した世界との間には、相互作用がある。

小説を書きはじめる前は、第1部でドストエフスキーについて説明した通り、モヤモヤした想念や感情が渦巻いている状態だ。その漠然とした想いや感情を、それぞれの登場人物に割り振って代理させて、表現しながらモヤモヤが整理されていく。このプロセスは、名前を付された人物のキャラクターが立ち上がっていくプロセスでもあり、その際、逆に言葉そのものが私の想像した世界に意味を与える役割も果たしている。

朔也はこう思った、こう感じた、こう考えた、こう行動した、というように、朔也という固有名詞とセットになっている述語が増えれば増えるほど、プロットが進み、朔也自身の性格や人格の理解も深まっていく。プロット前進型述語と主語充塡型述語という区分けを思い出されたい。

三好やイフィーについても同様に、本人の言動はもちろん、主人公の朔也から見た彼らの印象や特徴などの情報量によって、読者の理解度も変わっていく。個々の登場人物は、その世界観や思想を彼らの言動を通じて体現しており、彼らがくっついたり、離れたりと、複雑に絡み合いながら、自身の分人の構成とその比率を変化させ続けてゆくのが小説である。最終的に登場人物たちがどうなっていくのか？といった着地点には、やはり作家自身の思想が表れるものだと思う。

その観点で考えると、今回取り上げたのは物語の後半部分なので、朔也も三好もイフィーも、読者のイメージがかなり明瞭になった時点での大きな展開と言える。代理という考え方をふまえると、それぞれの主語が入れ替わり、誰が誰に言っているることとなのか分からなくなるような混乱のさなかに、三人の本音がかつてなく強く表出するというところに面白さを期した場面となっている。

読者の代理としての登場人物

小説の登場人物は、作者の代理であると同時に、読者の代理でもある。

たとえば、読者と同じような苦しみを抱えた主人公が最後に死んでしまうと、悲しい反面、自分自身はそのおかげで別の道を生きていけるということがある。自分の身代わりに主人公が死んでしまう、というのは、奇妙な思い込みだろうが、しかし、小説にはそうした不思議なカタルシスのメカニズムもある。

他方、主人公には生き続けてほしかった、という同化の仕方もあるだろう。

誰しも、自分の心は自分が一番よく知っているつもりでいる。しかし、だからといってそれで十分だというわけではなく、皆、映画を観たり、小説を読んだりと、その登場人物の人生に共感したいと感じている。他者の人生に仮託(かたく)しながら、自分の中にある想いや感情を再発見し、言語化している。それは、他者を経由せずに自分で自分のことが分かっている、というのとは違う、大きな感動を伴うことである。

本作に話を戻すと、自分はこの世界で孤独だと自覚している人が、同じような境遇として感情移入した朔也を経由して改めて自分自身に戻ってくると、その孤独の受け止め方も変化するはずである。あるいは、違う角度から自分の人生を捉えられるかもしれない。

むしろ、主人公とは凡（およ）そかけ離れた境遇だとしても、ちょっとした心の動き、態度を通じて自分の感情を仮託することができるのが小説であり、その人を経由してもう一度自分に回帰するという、回路を体験できるのが小説なのである。

社会の代理としての読む小説

一方で、小説には社会の代理としての役割も備わっている。

十四年前に、現代人の孤独と絶望をテーマにした『決壊』という小説を書いてから、私は、読者が小説の終わりに希望を見出したいと願っていることを強く感じるようになった。

バブルの頃のようにみんなが浮かれているときは、「それでいいのか？」と、破壊的でショッキングな終わり方の小説でも受け容れられるのかもしれない。

しかし現代は、格差・分断・対立が加速し、環境破壊も自然災害も止まらず、コロナ禍もあり、戦争もあり、……と、ネガティブな状況の渦中(かちゅう)で誰もが疲弊している。わざわざ小説を読んでまで絶望したくないという気持ちも分かる。

ＡＩが発達した社会で人間にどんな仕事が残るのか？　メタバース（ネット上の仮想空間）が発達した世界で私たちはどうなるのか？　予測不可能な未来に不安を覚えている人は少なくない。

今はソーシャル・メディアでも、キャラクターや動物など自分の顔ではないビジュアルをアイコンにしている人が少なくない。メタバースが発展したら、生まれながらの外見とは違う外見で、ヴァーチャルな世界で人と交流することも普通になるだろう。

そうすると、現実世界では生きづらさを感じている人が、メタバースの世界では開放的になって生きやすくなる、といったケースも増えていくはずだ。

すでに、ウーバーイーツのように物理的に誰かの代理として依頼に応えるギグ・ワーカーも増えている。将来的には、あらゆる分野で「代理」の機能についての議論と実践が活発化していくはずである。

二十年後の未来はどうなっているのか？　この小説を通じての体験は、今をどう生きるのかに直結する問いであるはずだ。

作家人生におけるその作品の意味

本書の第1部でも説明した小説の読み方の「四つの質問」のうち、作家の人生における「発達」について考えてみるなら、『本心』は、「後期分人主義」と称する私の第四期の最後の作品ということになる。

分人主義に基づく作品群の中で、本書との関連で、一つのヒントとなったのは『かたちだけの愛』だった。片脚を事故で失い、義足で生活することになった女優とその義足のデザインを依頼されたプロダクト・デザイナーとの関係を描いた小説である。

私たちの社会では、健康な肉体の美しさが何の疑問もなく称賛されるが、実際には、病気や障害を抱えている人も多く、その価値観によって傷つく人もいる。

身体に限らず、誰もが何らかの欠損を抱えて生きており、失ったり、もともと備わっていなかったものを、別のもので補いながら生きている。義足のユーザーに向かって、健常者が、「その足は本物じゃない」などとは、とても言えないように、私たちは、満ち足りている立場から、本物と偽物という序列化された価値観に基づいて、他者が生きるために必要としている補完物や代替物を蔑むことなど許されない。むしろ、昨今、3Dプリンターの登場で活発になった義足や義手のデザインに見られるように、その欠損は、新しいクリエイティヴィティのための場所となり得る。こうした考え方は、『かたちだけの愛』の刊行時には、なかなか理解されなかったが、現在ではより一般化しつつある。

その観点から『本心』を読み返せば、また違った印象を受けるかもしれない。朔也が、ヴァーチャル・フィギュアで母親を再現したいと考えることに対しては、強い違和感を覚える読者も多いだろう。そんな母親は、「本物ではない」と。しかし、本当にそう言っていいのか、というのが、『かたちだけの愛』以来の私の疑問である。

しかし、それでもVFの〈母〉は、人間そのものではないではないか、というのは当然の反論であり、この矛盾は朔也自身が悩むことであり、まさにこの小説のアポリアとなっている。

親を失う経験は、誰にとっても非常に辛い(つら)ことだ。特に朔也と母親のような一人親の困窮家庭では、親と子の関係が濃密になり、長時間労働や経済的困窮の故に、他の人間関係が希薄になりがちである。そこで親を亡くしてしまうと、他者との分人を通じた交流で喪失感を埋めていく、という喪の作業がなかなか難しい。そのために、当面、VFの母との生活で精神的な慰藉(いしゃ)を得る、ということはあり得るだろう。しかし、ずっとそのままで満足かどうか、という疑問が、その後の小説の展開である。

未読の方は、是非、作品を手に取って、朔也の精神の軌跡を辿ってみてほしい。

あとがき

前作『本の読み方　スロー・リーディングの実践』は、インターネット時代になって、日々の処理情報がますます手に負えないほど膨大になってゆく中で、本はせめて、ゆっくり読んで内容を十分に味わおう、ということを提唱したものだった。速読できないことにコンプレックスを持つ必要などまったくないし、じっくり読むからこそ、本はたくさんのことを私たちに語りかけてくれるのだという考えには、今も変わりがない。

その主張に、多くの賛同の声が寄せられ、「気が楽になった」と言ってもらえたことは、非常にうれしいことだった。

その一方で、そう頭ごなしに速読を否定しなくてもいいじゃないか、という意見もあり、また、速読すべき本とスロー・リーディングすべき本とは分けて考えればいいのでは、という尤（もっと）もな提案もあった。また、その意味では、小説に特化して書いたものを次は読んでみたい、という声も少なからずあった。

そうした意見に耳を傾けて、続編である本書では、基本的に「小説の読み方」について考え、また、多くの人が、ブログで読書後の感想を書き、意見交換をしている昨今の状況を鑑（かんが）み、「語る」上で役に立つような、「そもそも論」的な視点が紹介できればと、内容を工夫してみたつもりだ。従って、本書の目的は批評ではない。

様々なタイプの小説を取り上げて、細かに見てゆく作業は、我ながら楽しく、解説しながら自分の頭も随分と整理されて、良い勉強の機会となったが、そのために、テキストに解剖を施すような少々野蛮な振る舞いもしている。

この場を借りて、ご協力に感謝したい。

最後になったが、前作に引き続き、今回もPHP研究所の安藤卓取締役、新書出版部の横田紀彦氏にお世話になった。改めてお礼を申し上げたい。

二〇〇九年二月十一日

平野啓一郎

平野啓一郎
公式メールレター

平野啓一郎の文章が届く、月に一度のメールレター

こんにちは。
このところ、時々、SNS上で読者のみなさんとやりとりさせていただく機会があったのですが、SNSは色んな関心で人が集まってますので、せっかくなら、僕の作品を愛読してくださってる方達と、より直接的に交流できる仕組みがあった方がいいのではないかと思い、メールレターの配信をスタートすることにしました。

今考えていること、気になっていることなど、作品化される以前の段階の話なども、お話しできたらと思います。
メールレターを通じて、みなさんからのご意見にも触れることができれば嬉しいです。

ご意見、ご感想など、楽しみにしています。
どうぞ、よろしくお願いします。

全てにお答えはできないと思いますが、質問なども大歓迎です。
僕の作品の裏側をもっと知ってください。

Mail Letter From
平野啓一郎

https://k-hirano.com/mailletter

著者紹介
平野啓一郎（ひらの　けいいちろう）
1975年愛知県生まれ。京都大学法学部卒業。98年、大学在学中に雑誌『新潮』に寄稿した作品『日蝕』（新潮文庫）が“三島由紀夫の再来”として注目を集める。同作品で翌年芥川賞を受賞。2002年、2500枚を超す大作『葬送』（新潮文庫）を刊行。以後、旺盛な創作活動を続け、一作毎に変化する多彩なスタイルで、数々の作品を発表し、各国で翻訳紹介されている。
著書は小説では、『一月物語』（新潮文庫）、『高瀬川』（講談社文庫）、『滴り落ちる時計たちの波紋』（文春文庫）、芸術選奨文部科学大臣新人賞受賞の『決壊』（新潮文庫）、Bunkamuraドゥマゴ文学賞受賞の『ドーン』（講談社文庫）、渡辺淳一文学賞受賞の『マチネの終わりに』（文春文庫）、読売文学賞を受賞した『ある男』（文春文庫）などがある。最新作は、「自由死」が合法化された近未来の日本を舞台に、最新技術を使い、生前そっくりの母を再生させた息子が、「自由死」を望んだ母の、〈本心〉を探ろうとする長編小説『本心』（文藝春秋）。
エッセイでは、『本の読み方』（ＰＨＰ文芸文庫）、『私とは何か――「個人」から「分人」へ』『「カッコいい」とは何か』（以上、講談社現代新書）などがある。

本書は、2009年３月にＰＨＰ研究所より刊行された作品に、『罪と罰』『本心』の項目を新規追加し、加筆・修正したものです。

ＰＨＰ文芸文庫　小説の読み方

2022年５月23日　第１版第１刷

著者　平野啓一郎
発行者　永田貴之
発行所　株式会社ＰＨＰ研究所
東京本部　〒135-8137　江東区豊洲5-6-52
第三制作部　☎03-3520-9620（編集）
普及部　☎03-3520-9630（販売）
京都本部　〒601-8411　京都市南区西九条北ノ内町11
PHP INTERFACE　https://www.php.co.jp/
組版　株式会社PHPエディターズ・グループ
印刷所　図書印刷株式会社
製本所　東京美術紙工協業組合

 ISBN978-4-569-90219-7

PHP文芸文庫

名作なんか、こわくない

柚木麻子　著

名作には、女子が今を生きるために必要な情報が詰まっている。若手人気作家を夢中にさせた古今東西の小説を味わう「読書エッセイ」。

PHP文芸文庫

みんなの図書室

小川洋子　著

『竹取物語』『若きウェルテルの悩み』『蟹工船』『対岸の彼女』……名作文学から最近の話題作までを小川洋子さんの解説で味わう一冊。

PHP文芸文庫

本の読み方

スロー・リーディングの実践

平野啓一郎 著

作家が読むと、本はこんなに面白くなる！速読コンプレックスを持っていたという著者が、読書法について実践的な手法を綴った一冊。